200·

El espíritu
de la colmena

Foto portada e interiores:
de la película del mismo título.

Diseño:
Cruz Novillo.

© Víctor Erice y Angel Fernández Santos.
© Elías Querejeta Ediciones.
Maestro Lasalle, 21 - Madrid-16.
Teléfono 457 96 96.

Empresa 1.500/75 del Registro del
Ministerio de Información y Turismo.

Impresión:
G. Robles - A. Pardal Reyes, 209
Humanes de Madrid.
Depósito Legal: M. 8.278-1976.
I.S.B.N. 84-400-9752-2.

1.ª edición: marzo 1976
2.ª edición: mayo 1976

Victor Erice
Angel Fernández Santos

El espíritu
de la colmena

Prólogo: Fernando Savater

Elías Querejeta Ediciones

Fernando
Savater

Riesgos de la
iniciación
al espíritu

*S*I soy malo es porque soy desgraciado», declaró el monstruo de Frankenstein a su agobiado creador; no conozco crítica más escueta e irrevocable de la moral establecida. En vano los consoladores oficiales, incluso la voz estimable de Spinoza, intentarán invertir la cláusula y razonarán al monstruo que lo justo es reconocer que su desgracia le viene precisamente de su maldad, y no al revés. Tiempo perdido, pues la monstruosidad del monstruo le preserva de todo razonamiento edificante. Alguna ventaja tenía que tener la deformidad... Vaya usted a contarle a un monstruo que su maldad precede a su desdicha, y se le reirá en las mismísimas barbas. En el monstruo, la desgracia tiene irrefutable primacía, ostenta el sello inequívoco de lo originario, es lo primeval por antonomasia. La maldad viene luego, como un corolario de la desventura. Para ser rigurosos, la maldad es la desgracia vista desde fuera. Quienes ven a los monstruos como malos es porque no tienen la paciencia imprescindible o la humildad necesaria para inquirir realmente por el origen de su deformidad. Este desinterés bien puede ser interesado, porque pudiera ocurrir que el observador «normal», atrincherado en las garantías de la moral y del bien, fuese precisamente el causante de la desdicha del monstruo malo. Así ocurre en la novela de Mary Shelley. «Dame mis derechos —dice el monstruo— y verás como soy bueno.» Y que conste que el monstruo no pide como uno de sus derechos el dejar de ser monstruo, sino el respeto a su diferencia y la creación de otro monstruo como él con quien pueda sentirse unido y a quien pueda amar. Pero el doctor Frankenstein no quiere en modo alguno que su monstruo se reproduzca. La existencia de una progenie de diferentes le obligaría a modificar la universalidad de la ley moral a cuya sombra se refugia; incluso su propio concepto de normalidad se vería seriamente amenazado. Con los monstruos no se pacta porque son lo otro, viene a decirse Frankenstein; y toma la decisión de no conceder derecho alguno a su criatura, con lo que atrae sobre sí mismo y sobre ella el desastre más trágico.

El monstruo de la novela puede hablar y proclama inequívocamente que la causa de su desdicha, de esa desdicha que llegará a convertirse para los otros en maldad, es la actitud establecida que le rodea, cristalizada en la relación con su mismo creador. La idea vigente crea al monstruo para, inmediatamente, arrepentirse de él, considerándolo un error o un pecado. Pero ese pecado, ese error, recae sobre el monstruo mismo y constituye su monstruosidad radical. La víctima debe ser culpable, para resguardar de la mancha al conjunto del Orden que ha provocado su desgracia. El monstruo no es más que la monstruosidad del Orden que le segrega, pero debe ser presentado por éste como el infractor de la ley, y su exilio vergonzoso como merecido castigo. La íntima y secreta zozobra que corroe al Orden, alarmándole desde dentro por la monstruosidad que consiente y fabrica, se expresa hacia afuera como represión o condena del diferente. La Ley funciona como vigoroso antídoto contra la peligrosa tentación de preguntar: «¿de dónde vendrá tanta desgracia?». La respuesta es: de la Culpa. Y por ello el desgraciado debe aparecer prima facie como malo, pues todo el sistema reposa sobre ese punto. Si el Orden pudiese admitir por un momento que sólo es ordenamiento de la desventura, perdería su más sólido prestigio, el de la supuesta bienaventuranza que administra. Esa bienaventuranza quiere ser moral y se apoya en proclamas como la de que la virtud no necesita verse recompensada por la felicidad, pues ella es la felicidad misma. El vicio, en cambio, aunque precede y causa desgracia, debe ser enérgicamente castigado. En Spinoza, sin cólera: al criminal se le liquidará con la fría pulcritud con que se elimina al perro rabioso o se aplasta a la seta emponzoñada. La desgracia viene del pecado o de esa otra forma de mal, la enfermedad; ya hay países en que se borra la solución de continuidad entre la cárcel y el manicomio, viéndose en este resbalar hacia lo más hondo de la culpabilidad un adelanto ilustrado. Los crímenes del progreso siempre los pagan los monstruos, como la pobre víctima del moderno Prometeo de la Shelley. Al monstruo sólo le queda la protesta, el grito. El monstruo no es más que un desgraciado que habla; por eso, para el Orden hace de inmediato figura de malo. Lo culpable en él es la insistencia en declarar su desdicha, lo que no puede menos de hacerle sospechoso de subversión. La falta de resignación, el no callar o, mejor, el no hablar de otra cosa —de moral y de la virtud como felicidad, por ejemplo— es el mayor delito. Los monstruos pueden llegar a ser particularmente convincentes en sus quejas; tienen a su favor la verosimilitud del dolor, mientras que la moral debe utilizar el garrote con los malos ante la ejemplar improbabilidad de la beatitud que garantiza. Algunos monstruos cuentan con particular buena labia, como Job, el más afortunado de todos, cuya persistente protesta rozó la blasfemia, pero llegó finalmente a convencer al mismo Dios de la obligatoriedad de la restitución. O el monstruo marqués de Sade, que escribía a su mujer desde la cárcel: «Me decís que abandone mi manera de pensar, pues es la causa de todas mis desdichas. Pero mi forma de pensar es fuente de todos mis deleites y antes perdería mi vida que renunciar a ella; no, mi desgracia viene de la forma de pensar de los demás.» Para gran irritación del Orden, el único crimen que los monstruos no están dispuestos a cometer es el silencio, por más que se trate de convencerles de que ellos no tienen derecho a quejarse, pues sólo sufren el castigo de sus pecados. Pero no hay quien convenza de esta edificante verdad al monstruo. Para él, todo dolor es inmerecido, y lo dice; por eso el Orden no tiene otra opción que eliminarle.

En la película, en cambio, la triste criatura del doctor Frankenstein es muda; el monstruo debe recurrir a formas de expresión no verbales para mostrar su angustia, su soledad, su ternura y su cólera, ayudado por la mímica admirable de ese grandísimo actor que fue Boris Karloff. ¿Contradice esta mudez lo que se acaba de apuntar sobre el monstruo como declamador de la (de su) desgracia? No así, porque el aborto satánico —Satán es el Perseguido— del nuevo Prometeo no es mudo de una manera «natural», si es que alguna desgracia puede serlo. Al monstruo le han quitado la palabra, le han desterrado al silencio; no le han dejado más que un muñón de voz para que se comunique o intente protestar; le han confinado en los sollozos y los rugidos. De esta manera logran subrayar su diferencia y hacerle aún más evidentemente culpable, es decir, castigable. Su mudez —gruñidora, esforzada, tensa hacia el lenguaje inalcanzable— le hace aun más diferente, pues le priva de la gran niveladora, la palabra, en la que se funda la vaga presunción de la semejanza entre los hombres. Si el otro no hablase, ¿qué tendríamos en común? El malentendido de la fraternidad humana no tiene otro cimiento que el lenguaje, cuya radical equivocidad nos está prohibido reconocer. En la palabra se fundan las peculiaridades, y las diferencias irreductibles se generalizan dócilmente en géneros y especies. Nuestro secreto más indescifrable lo vemos de pronto húmedo de la saliva del vecino; mi enigmático corazón se le hace pensable al otro, a ese otro que piensa y es yo mismo. Todo lenguaje es un abuso de lenguaje, el dramático y cruelmente esperanzador quid-pro-quo de que somos semejantes. Pero este equívoco que nos lacera almohadilla también nuestras relaciones, nos resguarda de la ferocidad organizada de aquellos que ven toda diferencia como amenaza o traición. ¡Cuántas veces, cuando creí que mi íntima monstruosidad se delataba, cuando la deformidad que me constituye comenzaba a incitar a lo uniforme contra mí, cuántas veces entonces me ha salvado un hábil discurso! Huyo escondido en mi chorro de palabras como el pulpo tras su nube de tinta... Quien no ha estado nunca detenido y sometido a interrogatorio por la policía, nada sabe de la protección (y también del riesgo, por supuesto) que representa el lenguaje, la posibilidad de hablar, es decir, de enredarlo todo, de engañar... Cierto es que las palabras nos condenan, pero también pueden frenar un poco nuestra caída, si se las maneja bien. Al monstruo de la película de James Whale no se le consiente ni ese subterfugio: nada encubre su peculiaridad maldita, nada puede decir para no parecer tan distinto. Le quedan los gestos, pero también éstos juegan en su contra, porque la mímica, incluso convencional, si bien cumple la misión de comunicar, no mitiga en modo alguno las diferencias. Sólo la palabra es indiscutiblemente lo mismo o no es palabra; el gesto nunca alcanza lo igual, sino que más bien opera en el vago ámbito de lo aproximado y lo reflejo. Además, mientras que la palabra oculta a quien la profiere y parece venir de ninguna parte, de tan pública como suena, el gesto reclama atención para la apariencia externa de quien lo hace. Y las peculiaridades de esa apariencia son refractarias al verdadero reconocimiento. Los relativos parecidos refuerzan la extrañeza, en lugar de obviarla. «Sí, ciertamente, tiene cabeza, tronco y extremidades, ojos, nariz y boca, como yo mismo; pero sus manazas son zarpas de uñas negras, su cuerpo es absurdo y reprobable, su cráneo está cruzado por lívidos costurones, su aliento expande una insoportable fetidez de gusanera...» El otro, el monstruo, es un cadáver ambulante hasta que rompe a hablar y nos pregunta cortésmente la hora; entonces le reconocemos como un semejante, un correligionario o incluso un hermano; cosas más raras se han visto. Pero si se limita a hacernos gestos desesperados, mientras gruñe patéticamente, su repulsivo exterior nos será cada vez menos familiar, su chaqueta de espantapájaros se hará más y más sombriamente ridícula, sus zapatones estrafalarios nos ofenderán crecientemente, el destello húmedo de sus ojos llegará a parecernos, sin duda, feroz. Entonces le atacaremos convencidos de que actuamos en defensa propia; será él o nosotros; hay que acabar con el monstruo asesino. ¡Qué fácil, empero, le habría sido salvarse, si hubiera podido pronunciar una palabra a tiempo!

13

Mudo, el monstruo es aún más culpable. Ya vimos que lo era, en primer término, por la diferencia que constituye su desgracia. Pero ahora su silencio forzoso le hace caer dentro del lenguaje de los otros. El que calla, otorga —dice el refrán—. Ante todo, otorga la palabra al otro. En la silente diferencia del monstruo crecen las palabras condenatorias del Orden. Una de las más evidentes maldiciones de vivir irrevocablemente dentro del universo del lenguaje es la imposibilidad de alcanzar un auténtico silencio, un silencio que no se llenase de inmediato por el rumor del discurso vigente, que fuese algo más que el triunfo abrumador de tal discurso. La palabra reinante nos asedia y termina conquistándonos por saturación. Uno guarda, mientras puede, dentro de sí vaga memoria de que hay algo que se resiste al verbo, trata de asir y hacer llamear como una bandera lo innominado que repele cualquier nombre; es como una piedra que desciende blanda, pero incesantemente, hacia la remota profundidad del pozo y que en vano la mano intenta asir, tensando el brazo en el agua hasta el descoyuntamiento. Al cabo, sólo volverán a la superficie palabras —«piedra», «profundidad»...—, pero ni rastro de aquello cuya dureza sin bautizar apenas recuerda el hueco de la mano. Puestas así las cosas, ya no se puede retroceder sin más hacia el silencio que yace detrás de las palabras; *será preciso cabalgar en las palabras mismas hacia adelante, rebasar el concepto por el impulso del concepto mismo, salirnos del lenguaje* por arriba... *Esto es lo que no se le permite al monstruo mudo, víctima, más que de su silencio, de las voces acusadoras y victoriosas de los otros. Se queda por debajo del lenguaje, abrumado por el peso de éste, por lo complejo y enredado de su trabazón, por lo injurioso de sus epítetos, por lo capcioso de sus artículos legales, por lo mendaz de sus promesas liberadoras, por lo aterrador de sus amenazas, por lo ininteligible de sus explicaciones científicas, por lo brumoso de sus sermones religiosos, por lo acusatorio de sus gritos de alarma, por lo patético de la desesperación de la madre de la niña ahogada, por lo absurdo de su sentido sin sentido, por lo excluyente y maldito del término* monstruo... *Sólo puede salir de esta trampa de vocablos a zarpazos, repartiendo violentas manotadas, lanzando a la desesperada su torpe aullido, ese aullido sin modular que nunca significará más que hostil ferocidad para quienes lo escuchan. Le espera la huida a través de la noche, cuyo silencio poblarán los gritos de sus perseguidores y los ladridos de los perros de presa, los árboles que aparecen altos y tensos para luego borrarse, al fulgor danzarino de los hachones... Finalmente, en la ardiente soledad de su pira funeraria, quizá alcance ese alto conocimiento, hecho de acoso, desamor y muerte, que permite comprenderlo y perdonarlo todo.*

Tanto el monstruo parlante, que no se resigna y clama con agresiva elocuencia su desdicha, como el monstruo mudo, inerme ante el discurso del Orden que le estruja, conocen el mismo desenlace de exilio, desesperación y, como cúspide, son ejecutados de cualquiera de los mil modos posibles. Ambos son víctimas de la palabra y su manipulación, del dominio cuya única fuerza está en el desconocimiento efectivo de toda diferencia, del poder que banaliza y tritura cada discrepancia. En ambos casos, la desgracia que le define juega decisivamente contra el enemigo público: la desgracia de su origen, pues es fruto de una idea desmesurada, de una soberbia racional que todo lo arrolla y no de la convención y el hábito concupiscente, como el resto de los humanos; la desgracia de su condición física, que le ha dado un cuerpo abierto y mal ensamblado, un congreso de pedazos arrancados de tumbas lejanas, que sueña cada uno con deseos diferentes, en lugar de la lisura y armonía de una carne disciplinada; la desgracia sobre todo de su cerebro, que no es de santo ni de científico ilustrado, sino de criminal, es decir, es una mente ya condenada, desde antes de insertarse en el cráneo deforme. Hundido irremisiblemente en la maldad de su desventura, perseguido fantasma desamparado, le pierden tanto sus palabras como su silencio, su inesperada sonrisa infantil no menos que sus muecas feroces, y la primera amistad que se le regala, a orillas del lago, se salda con el asesinato cometido por la irresistible violencia de su ternura, que aúna en un mismo recién descubierto ímpetu de juego a la niña y a las flores.

*Pero ¿quién es realmente ese monstruo anónimo, conocido tan sólo por el apellido de su creador? Isabel, la hermana mayor de la niña que protagoniza la película de Víctor Erice, revela la verdad a la pequeña Ana en la confidencial quietud de su dormitorio: «El monstruo es un espíritu.» ¡Una verdad tan sencilla, tan audazmente profunda, y quizá no hubiésemos llegado nunca a ella sin ayuda de Isabel! Efectivamente, el monstruo es, sin lugar a dudas, un espíritu. No le falta ninguno de los distintivos: soledad, desdicha, incomunicación, vocación imposible de ternura, ferocidad, fuerza irresistible en la fragilidad más precaria, abandono... Pero, sobre todo, es un espíritu por*que comprometer. *Obliga a tomar partido, a elegir contra él o a su favor; no se le puede conocer impunemente. Así lo entiende Ana, que quiere ser inmediatamente iniciada en los misterios del espíritu; la admirable película de Erice será la crónica impecable de dicha iniciación. Ana está dispuesta, bien dispuesta, a jugarse el todo por el todo, a no ahorrarse ningún riesgo para llegar al espíritu. De los peligros que trabar ese conocimiento pueda comportar no debe caberle la menor duda, pues no en vano ha visto cómo acabó la niña del lago que pretendió jugar con él. Lo primero que pregunta a su hermana mayor es precisamente eso: por qué el espíritu mató a la niña. Isabel se calla la respuesta, que quizá ignora; a fin de cuentas, ella no ha dado el último paso hacia el espíritu, no ha pasado del estadio estético al ético, diríamos, parodiando la terminología kierkegaardiana. Ana tendrá que descubrir por sí misma lo destructiva, lo amorosamente destructiva que es la vecindad del espíritu para las niñas. Lo propio del juego del espíritu es que* no se detiene en *lo conveniente; cuando se acaban las flores, arroja sin vacilar a la misma compañerita de juegos al agua negra, pues el juego del espíritu debe jugarse hasta el final. El espíritu no mata a la niña; la mata la intensa emoción de ese juego arrebatado, que es el único que puede jugarse con el espíritu. Ana tardará en descubrir por qué la niña debió morir en el lago y cómo el espíritu la amó hasta el desconsiderado punto de matarla para mejor enseñarla a jugar. A orillas de otras aguas nocturnas, el* *espíritu la matará a ella también, para permitirla renacer y acabar plenamente su iniciación.*

Dos son las preguntas que se hace Ana al comienzo de su peregrinación hacia el espíritu: dónde vive el espíritu y cómo conocerlo y hacerse conocer por él. Ambas cuestiones le son solventadas de modo ambiguo, pero suficiente, por su hermana Isabel, iniciadora eficaz de Ana en unos misterios que ella misma no está destinada a conocer nunca en su plenitud. Respecto a la morada del espíritu, la respuesta es una primera paradoja que Ana tendrá que aprender por sí misma a conciliar: el espíritu tiene un lugar privilegiado donde celebra primordialmente sus ritos, pero, ante todo, es justo decir que se encuentra en cualquier parte. Ese lugar predilecto —al que llamaremos, de ahora en adelante, el templo— *es designado por el azar del paisaje, por la pureza solitaria de los surcos que labran la tierra circundante, por el permanente secreto del pozo. Pero, sobre todo, es la piedad de Ana, su desprevenida entrega a la posible presencia del espíritu, lo que convierte en templo ese sitio cualquiera que la malicia de duende de Isabel señaló a su anhelo. Allí celebra Ana sus primeras ceremonias de recogimiento, sus liminares rituales de silencio, sus invocaciones junto a ese pozo cuya chimenea une dos mundos. Pero también se le ha hecho saber que el espíritu puede asistir a cualquier parte, siempre que se le requiera de modo adecuado. En este punto se inserta la respuesta a la segunda pregunta de Ana, que inquiría por cómo conocerle y hacerse conocer por él. En tanto que espíritu, Isabel hace saber a Ana que el cuerpo del monstruo es* un puro disfraz *que se pone para salir a pasear; el espíritu utiliza su cuerpo para ser visto y de ese modo* ocultarse, no ser reconocido. *No se puede, pues, reconocer al espíritu por unas inequívocas señales físicas; su cuerpo no es descriptible de una vez y para siempre, pues lo propio del espíritu es precisamente la metamorfosis, el cambio de disfraz. Para conocerlo, hace falta ante todo que él nos reconozca: y él reconoce a quienes le eligen, a quienes le llaman con los ojos cerrados y se abren a él... El lugar no importa. Es cosa suya utilizar el disfraz adecuado para la ocasión. Pero su llegada, que en lo físico no puede ser descrita de antemano, ha de venir marcada con sus rasgos espirituales propios: desamparo, persecución, zozobra y ese compromiso que fuerza a arriesgarlo todo para ponerse a su lado.*

La niña vive en la colmena; para hacerse propicia al espíritu tendrá que alejarse de ella, distanciarse, verla desde fuera. No como hace su padre, cuya horrorizada fascinación por el trajín sin designio ni reposo de las abejas certifica su indeseada adscripción al panal como lamentable abeja observadora, como el zángano resignado a su papel de víctima propiciatoria. El transparente vidrio que interpone el apicultor entre los afanes de la colmena y los suyos, el cristal de la ventana a través de la cual contempla el vencido la comunidad que ya no le pertenece, son barreras que unen, fronteras que igualan lo dispuesto a ambos lados. Quien se sale realmente de la colmena se convierte en monstruo, en espíritu, y no puede esperar piedad ni reconocimiento de parte de las abejas. Ana deberá buscar cuál es la salida de la colmena, y sus tanteos la acercarán poco a poco a lo irreversible. Esta salida no es una simple huida ni un repliegue evasivo; la lejanía que el espíritu guarda respecto a la colmena es la de su negación activa de ésta, por medio de la combinación de ferocidad y ternura que le impone su desgracia o, según las abejas, su maldad. Ciertamente, el espíritu desgraciado no es más que la desdicha misma de la colmena, pero vuelta contra ella; del mismo modo que el monstruo no es más que la desventura de la normalidad, vivida como protesta incansable contra ésta. Por eso el espíritu lo es de la colmena, y su negación activa de ésta revierte también sobre él como espíritu separado, del que, tras la abolición impensable de su desdicha, nada puede asegurarse con certeza que merezca ser conservado. Esto diferencia al espíritu de los simples modificadores de colmenas, lo mismo que el propósito del monstruo no es sencillamente ampliar con tolerancia el alcance del concepto «normalidad». En primer término, Ana se distancia de la colmena en el templo. Este se define desde un comienzo como la querencia del espíritu, como el ámbito donde puede advenir un sosiego significativo frente al ajetreo insignificante de la colmena. Pero la quietud de este remanso es tan evidentemente opuesta al mecánico atareamiento del panal, que tiene algo de ominoso. La característica de la paz amenazada es que hay que hacer un esfuerzo para alcanzar cierta serenidad. Por eso el espíritu es desdichado y no feliz, aunque sopla donde quiere. Retirada al templo, Ana comienza a saborear el despojamiento que acompaña a toda invocación sincera de lo negativo; la segregación de la colmena da tensión al sosiego recién conquistado, aunque más para el espectador —Isabel tanto como el que asiste en su butaca a la película— que para Ana, pues ésta vive el bienaventurado primer momento de la entrega a la espera del sentido. La enorme huella a la entrada del templo es la primera y todavía como perezosa manifestación de la presencia del espíritu; comienza a corporeizarse una respuesta a la piedad de la niña, pero como si viniera de lejos y muy gradualmente. Confirmando el dicho de Hegel, el espíritu no parece tener prisa.

En la escuela, la niña realiza ceremonialmente la edificación de un cuerpo, imagen del imprevisible disfraz que el espíritu ha de tomar para venir hasta ella. Todas las niñas colaboran automáticamente a esta construcción, pero sólo Ana sabe realmente qué es lo que puede esperarse de ese rito. Aquí se ve uno de los aspectos —quizá el esencial— que adopta la negación de la colmena por el espíritu: el funcionamiento de aquélla está sometido a las inexorables leyes de lo necesario, mientras que éste inventa sin desfallecer posibilidades innecesarias desde su radical libertad. En la colmena rige la necesidad, la dura lex, sed lex, o, por decirlo de forma más general y terminante, reina la muerte; el espíritu es innecesario —antinecesario—, luego superfluo e incalculable: el mismo fantasma de la libertad. Fantasma, porque la libertad, de momento, es sólo una posibilidad imposible, lo cual no quita que sea para el espíritu la única posibilidad. El espíritu es la negación de la muerte; pero esta negación, para no caer en lo abstracto (es decir, en lo muerto), debe conservar en su propio ímpetu el acta de la necesidad de la muerte —sencillamente, de esa presencia de la muerte que llamamos necesidad— y de aquí esa su desventura que es garantía de franqueza con su mismo anhelo. ¿Habrá que subrayar de nuevo que nada tiene que ver la libertad negativa del espíritu con esa otra mendaz libertad que pretende sacar su fuerza de la necesidad misma, en la más innoble de sus advocaciones, la de necesidad «histórica»? De la combinación de ambos horrores, necesidad e historia sólo se deriva necesariamente la continuación perpetua de su horror, con el punzante sobreañadido de llamar a esta eternización de la muerte nada menos que «libertad». Si el espíritu aspira a mantener firmemente algo, es sin duda su propio testimonio contra la necesidad histórica: la base de cualquier rebelión es la sublevación contra el pasado, al cual la necesidad histórica canoniza sin vacilar, aunque haciendo guiños hacia la beatitud futura que, no menos necesariamente, ha de rescatarlo. Esto es la ciencia de la revolución, según cuyos decretos los monstruos pasan directamente a los asilos psiquiátricos o a los campos de trabajo, donde el espíritu aprenderá por las buenas o por las malas que no hay otra libertad que la aceptación de la necesidad. Tachado de voluntarista (¿qué otra cosa le queda?) y de irreal (su dolor es pura anécdota o necesidad mal digerida), al espíritu le aplasta su negativa a utilizar la muerte como medio, como es ley en la colmena incluso entre los que quieren una redistribución de la miel. Sus demandas más angustiosas parecen melindres de histérica a quienes se reclaman hijos de la necesidad, que siempre le atrapan en el cepo de lo urgente, en el mal necesario del primer paso. Pero el espíritu se resiste a acatar convicto y confeso su impotencia, que la muerte sin cesar le certifica en todos los tonos: cuanto más le duele, más grita, y mientras funciona en la cadena productiva que construye a retazos el mísero muñecón sin alma, diseña con su rabia silenciosa el soplo inmortal que ha de vivificarlo.

Será su padre quien muestre a Ana otro de los rostros del eterno Perseguido. Paseando en busca de setas, tropiezan con una particularmente venenosa. Una auténtica asesina, según el decir del padre, quien la aplasta con el pie en un involuntario *símbolo del tratamiento que reciben los enemigos de la colmena. ¿No ha sido él también triturado en parte como una seta ponzoñosa? ¿Cómo no guarda mayor solidaridad con su hermana réproba del reino vegetal? Ana aprende así el criterio del bien y el mal que aplica la colmena; funciona exclusivamente según el baremo de* lo utilizable. *Todo lo que puede utilizarse con provecho es bueno y en cuanto tal es respetado y conservado por la colmena. La maldad «asesina» de la* amanita verna *reside en que no se deja emplear para hacer revuelto, como el dócil champiñón. Se da por supuesto que las setas están ahí para ser comidas, manipulación que agota por completo su designio. Aceptémoslo así, con ya ser esto suficientemente grave y discutible; pero ¿por qué no ha de* tolerarse al menos que haya hongos inútiles? Después de todo, las *amanitas, no inferiores en esto a los lirios del campo, crecen sin que nadie las riegue... ¿Acaso pretenden engañar al incauto, haciéndose pasar por níscalos? Reconozcamos que el buscador inexperto que se lleve* amanitas *a casa para su tortilla es engañado ante todo por su propia voracidad no ilustrada. Ciertamente, el mundo sería mucho más cómodo —más utilizable— si no hubiese más que setas comestibles en los campos del Señor. Pero no sólo de setas debería alimentarse el hombre; también sería bueno que se nutriese de la contemplación de lo inmanejable, incluso del fulgor audaz de lo que (para él) es peligroso. A estos últimos encantos, la colmena permanece tenazmente ciega. De cualquier forma, Ana comienza a comprender el destino del monstruo en la película que ha visto en el cine del pueblo. Lo que no sirve es ya, de* facto, *dañoso; hay una amenaza latente para la colmena en todo lo que se resiste al marbete instrumental. Para aceptar sin terror ni ira la existencia del monstruo o la tarea desoladora del espíritu, es preciso desprevenirse ante lo que parece estéril a la división del trabajo y familiarizarse sin subterfugios en el paladeo del veneno. Empeños que su inatacable disciplina vela celosamente a las abejas.*

Prosiguiendo la iniciación de su hermana, Isabel la hace pasar por la prueba de fuego, la de la muerte de la niña. Ya diji-

mos antes que la pregunta respecto a por qué muere la niña fue la primera que se le ocurrió a Ana sobre la historia del monstruo-espíritu. No se le da otra respuesta sino la representación misma de la muerte, que su hermana interpreta para ella. Así debe pasar por la angustia de lo inexplicable, de lo injustificable. Ana cierra la ventana por donde supone que debe haber asomado el espíritu y susurra a su hermana muerta: «¡Anda, que ya se ha ido!» Entonces ve que la niña sigue inmóvil y la golpea lo sin remedio. Para acercarse al espíritu, hay que bajar hasta el fondo mismo de lo sin remedio; en este punto sí que puede afirmarse que no hay atajo válido. Explicar de algún modo la muerte de la niña, como Ana quería el primer día, es intentar verla como remediable; lo que puede pensarse por causas y motivos es enmendado, falsamente enmendado, por la ideal reconciliación de la mente. El pensar no arregla nada, pero forma parte de su miseria establecida añadir en voz baja después de cada «entiendo» un soñador «arreglo», que es lo que de veras importa. Su principal designio es consolar, ayudar a soportar, y así contribuye a reforzar lo que hay, ocultando la auténtica presencia de lo sin remedio. Gracias a la Idea, lo que es de hecho, pasa a ser de derecho. Para dulcificar el yugo de lo necesario, lo interioriza en su propio funcionamiento y pretende suavizar con este postizo parentesco la radical extrañeza de lo inexorable. Si digo: «el monstruo mató a la niña porque es malo», comienzo a escapar de lo sin remedio al nivel alucinatorio de la Idea; se insinúa que el exterminio de los monstruos preservará las vidas de las niñas o que el monstruo podría —incluso debería— no haber sido malo, con lo que la niña no hubiese muerto. Lo sin remedio entra así en el razonable juego de los efectos y las causas, cuyo único fin es el acatamiento de la necesidad por vía de interiorización. Pero ahí está la niña tendida y no se levanta. De eso es de lo que hay que empaparse, hasta el absoluto desconsuelo. El monstruo-espíritu no se aviene a participar en modo alguno en los juegos racionales; tras cada sensata explicación causal de lo necesario, él olfatea sin error posible el espanto de lo sin remedio. En man-

tener desesperadamente vivaz esa alarma que nada mediatiza quiere empeñar lo mejor de su fuerza, aunque eso le aísle de la concordia gentium colmenera. La pantomima de Isabel permite a Ana dar un paso más hacia la guarida del espíritu, cuyo lado pavoroso —reflejo sin paliativos de lo sin remedio— sobrelleva con denuedo. Sale de la prueba con el burlón sobresalto que la malicia de Isabel ha dispuesto al extremo del túnel. Después de todo, el lado pavoroso del espíritu también es un disfraz... Retreparse exclusivamente en él imposibilitaría para alcanzar su más honda raíz ética, a cuya consecución está Ana destinada.

La niña ha cumplido los rituales de la oscuridad; con los ojos cerrados, entregada, ha invocado al espíritu; ha vivido la zozobra de su hermana yacente, sin remedio; sola entre los rumores solemnes de la noche, fugitiva de la quietud de su cuarto, ha saludado la vigilia de la luna. Ya está preparada para el último y definitivo tramo de su iniciación. Al día siguiente encuentra que un guerrillero acosado y herido se ha refugiado en el templo. Hablando de las creencias antiguas, dice acertadamente Borges: «Thor no era el dios del trueno; era el trueno y el dios.» De igual modo, Ana presiente que el fugitivo es también el espíritu, que se manifiesta por fin para pedirle definitivo compromiso. Como cuadra a su destino, ha elegido la apariencia que en ese momento y época mejor refleja sus rasgos permanentes: rebelión, desamparo y una vaga esperanza que todo desmiente. Ana le propicia ropas y comida; el espíritu la recompensa con un dulce y fatigado juego de manos. Tristeza y soledad del espíritu, que nunca premia. Pero Ana por fin conoce qué se siente en la terrible compañía del espíritu. Aún le queda, sin embargo, el calvario del enfrentamiento con la colmena, la aventura del monstruo malo porque desgraciado y de sus matadores tiene que apurarse hasta su trágico final. En el templo, por la noche, corre la sangre de la víctima inmolada en aras de la unanimidad forzosa del panal. Es su mismo padre, el resignado vigilante de las abejas, quien ocupa ante Ana el puesto sin nombre del ejecutor de la sentencia contra la libre diferencia del espíritu, tal como aplastó la inutilidad ponzo-

23

ñosa de la seta en el bosque. *No se trata de buscar un culpable,
pues el culpable es evidentemente el guerrillero, el espíritu, y
como tal ha sido ejecutado. Ahora queda la terrible responsabi-
lidad de la inocencia, que salpica los entresijos más hondos de
la colmena, que deforma sus celdillas simétricas y que amarga
su piel, que recorre como un escalofrío eléctrico toda su jerar-
quía, desde la negra cima amasada con poder hasta el brazo
armado que cumple la muerte y la resignación atemorizada que
es demasiado débil incluso para lamentarla públicamente. En la
implacable anulación de lo distinto se reconoce el ejercicio mismo de la necesidad, que define y fundamenta el ajetreo estéril
de la colmena. Aquí, «estéril» no va por improductivo, pues pro-
ducir es precisamente la forma de esterilidad de la colmena, y
nunca falta en ella la conveniente cantidad de miel que justi-
fica rentablemente su entretenimiento; pero es estéril por cuanto
esquiva una plenitud libre y gozosa lo edificado sobre una rí-
gida estratificación sin esperanza, lo que a la mayoría del enjambre no le consiente más vida que la precisa para asegurar la
eficacia laboral, lo que contrarresta todo experimento de diferencia con su recelo y su ciega represión. Todas las medidas,
todos los controles de la colmena son perfectamente* necesarios;
*tienen la irremediable presencia de la muerte, y «muerte» es el
nombre de todo lo exterior a la colmena: muerte por hambre,
por miseria, por desorden, por improductividad, por revolución
(o por contrarrevolución), muerte por caos... Pero como no proclama otra fuente de legitimidad que el puro jaque a la muerte,
a la colmena toda su fuerza le viene de la muerte misma. Lo
que proyecta fuera de ella es su propio contenido: la imagen
invertida que refleja cómo el horror es su propio rostro en
todos sus detalles, sin otro aditamento maquillador que un cambio de signo. Enemigo de la muerte, el espíritu lo es también de
su reflejo y de la administración cadavérica que éste sustenta.
El espíritu es lo que no ve la necesidad de la necesidad, es decir,
lo que no ve la necesidad como necesaria; ese «no ver» es ético.
Ante él, la necesidad se hace visible con su verdadero rostro, el
de la muerte, para someterle. Siempre que la necesidad se deja*

ver, lo hace en forma de muerte. De aquí el perpetuo riesgo del espíritu, que siempre reta como un anhelo inmortal, hasta que la necesidad saca las uñas, y también luego, hasta que llega el zarpazo fatal. Este zarpazo es lo sin remedio, y así debe verlo el espíritu para no cometer pecado de angelismo; pero debe conservar su ética ceguera ante la necesidad de lo necesario, incluso en plena contemplación de lo sin remedio.

La iniciación ha concluido. Queda tan sólo el momento de identificación definitiva con la pasión del espíritu. Ana se pierde en el bosque nocturno, mientras crecen tras ella los ladridos de los sabuesos y refulgen las antorchas de los rastreadores. Así huía en la otra historia la soledad del monstruo... En el corazón secreto de la arboleda está el estanque, junto al que la niña se arrodilla. Y por fin el monstruo llega, sin disfraz, es decir, con su disfraz más revelador. Hasta aquí, la película de Erice era compatible con el «buen gusto» ilustrado de los espectadores; pero sacar al viejo manido monstruo, acudir a la tumba de Boris Karloff en lugar de limitarse a la pincelada impresionista, es precipitarse sin remedio en el mal gusto, enajenarse a los amigos ya predispuestos a favor... ¡Qué importante es que Víctor Erice se haya atrevido a ese detalle de mal gusto! Sin él, quizá toda la película se hubiese desvencijado hacia la estampita «progre». Pero, afortunadamente, Erice es un creador, es decir, se siente tan capaz del buen gusto como del malo. Está dispuesto a confirmar que no ha tomado el nombre del monstruo en vano. Porque los monstruos son de mal gusto; hubiera sido demasiado fácil y agradecido coquetear un momento con ellos para luego refugiarse en la inatacabilidad estética de lo elevado. Pero Ana hubiera resultado engañada y se nos habría escamoteado la dimensión ética, más allá de la estética, de su iniciación. Allí, junto al lago de sombras, el monstruo ejecuta de nuevo a la niña, con triste y sádica ternura. De las aguas de la muerte, Ana resurgirá pura y silenciosa. Capaz de invocar definitivamente al espíritu, que ya está en ella, cuyo disfraz es ahora ella misma. Lista para cualquier futuro, quién sabe, para lo más atroz: cárcel, manicomio o amor.

La colmena en la que se debate el espíritu de Erice es in-dudablemente España. Tan absurdo sería descontextualizar la película olvidando este dato —degradándola a inconcreta alego-ría— como supeditar todo su significado al peculiar enredo his-tórico español. El espíritu ama lo concreto, pero saca fuerza de ello para ir más allá de cualquier anécdota; es histórico, da cuen-ta y se da cuenta de la historia, pero no queda encerrado por ella en su necesidad. Estamos ante un decidido alegato contra el fascismo, cuya verosimilitud estética y ética le hace afortu-nadamente rebasar el cauce estrictamente político —es decir, es-tratégico— del antifascismo. Sacudirse el fascismo, imposibilitar su predominio y su rebrote es gran parte del problema hoy en España —escribo estas líneas el último día del año 1975—, pero desde luego no es todo el problema. Pensar lo contrario es peli-groso, cómodo y torpe. Una de las maldiciones del totalitarismo es que, bajo él, no puede uno pensar más que en librarse de él, en suprimir sobre todo sus odiosas maneras: su insultante fan-farronería, su mediocridad condecorada, su pedante dogmatismo ideológico, su mogigatería, su corrupción, su ineficaz burocra-tismo, su injusticia. Pero el problema de la colmena, de lo uno y lo vario, de lo igual y lo distinto, del control, de la produc-ción, de la sujèción a lo necesario, de la muerte, de la imposible fraternidad, de la maldad y la desdicha, los problemas que acongojan y rebelan al monstruo trascienden la siempre meri-toria lucha contra el estilo totalitario. Recordar aquéllos sin ol-vidar ésta parece lo más digno de la vocación libertaria de la España actual. El espíritu de la colmena puede acompañarnos estimulantemente si nos sentimos llamados o precipitados a este difícil camino.

F. S.

El espíritu de la colmena

«En los niños,
la pena tiene horror de la luz
y huye de las miradas humanas.»

THOMAS DE QUINCEY

SEC. 1. ESCENA 1. INTRODUCCION. DISTINTOS ESCENARIOS DE UN PUEBLO. *Ext. día* [1].

La pantalla en negro durante unos segundos.

SILENCIO TOTAL.

Aparece en sobreimpresión un título en letras blancas:

«EL ESPIRITU DE LA COLMENA».

El título se desvanece. En su lugar, va surgiendo poco a poco la imagen de una colmena vista desde el exterior. La colmena permanece herméticamente cerrada. No hay ni una sola abeja a la vista.

---

[1] Secuencia prevista como fondo de los títulos de crédito, que no llegó a rodarse. En su lugar se utilizaron una serie de dibujos que, con unos temas fijados de antemano, realizaron las dos niñas protagonistas: Isabel Tellería y Ana Torrent.

Los dibujos son doce en total: una colmena de observación y un apicultor (título de la película); un apicultor con el rostro tapado por una caperuza protectora (Fernando Fernán Gómez); una mujer escribiendo una carta (Teresa Gimpera); dos niñas, con sus cabases en la mano, junto a una escuela (Ana Torrent e Isabel Tellería); un tren (otros actores); un gato (guión); una niña saltando por encima de una hoguera (jefe de producción); un pozo (montador); un niño con sombrero, capa y bastón (músico); una seta (fotógrafo); un reloj de bolsillo (director).

Finalizados los títulos de crédito, en la imagen surge un dibujo más, el doce, realizado por Ana Torrent, que reproduce la escena de la proyección de la película *El doctor Frankenstein* en el interior del cine de Hoyuelos. ANA ha pintado una pantalla provista de patas, frente a la que se agrupan los espectadores, y en la que vemos a una niña al borde de un río, junto a unas flores; escondido entre unos arbustos, a la izquierda, se advierte un rostro de trazos simétricos: el monstruo. Hay un «travelling» de acercamiento que va dejando fuera del encuadre a los espectadores para concentrarse en esta pantalla imaginaria que ANA ha trazado. En sobreimpresión aparecen entonces las palabras con las que suelen empezar la mayoría de los cuentos infantiles: «ERASE UNA VEZ...»

CONTINUA SILENCIO TOTAL

Encadenado.

Vista general de un pueblo. La mayoría de las casas se reúnen en el fondo de una hondonada, junto a un pequeño río. En el interior, pero especialmente en las afueras de ese pueblo, vemos algunas casas derruidas, y otras vacías, sin habitar. Muros en ruina. Muros ennegrecidos. Ventanas de cristales rotos. Una casa de labranza en medio de la llanura, abandonada. Junto a ella, el brocal de un pozo de agua. Una pieza de artillería, enmohecida, destrozada por un impacto, convertida en chatarra. Una trinchera abandonada. Un par de botas de soldado, en el fondo de una zanja, las suelas reventadas. Una fosa común. Una cruz. Junto a la tumba, muchas flores silvestres.

Encadenado.

EL SILENCIO SE ROMPE. EMPIEZA A OIRSE EL ZUMBIDO DE UNA ABEJA.

Una flor ocupando toda la pantalla. Una abeja entra en campo, con su zumbido característico, y empieza a libar. Más abejas que van y vienen, en el aire. La misma colmena que vimos anteriormente. Ahora se halla en plena actividad.

ZUMBIDO DE ENJAMBRE.

Encadenado.

La plaza de un pueblo castellano. En sobreimpresión, una fecha: «1940».

Fundido en negro muy lento.

SILENCIO TOTAL.

SEC. 2. ESCENA 1. PLAZA DEL PUEBLO. *Ext. día* [2].

La mañana de un domingo. Hace bastante frío. La plaza del pueblo está desierta. Una camioneta con gasógeno

---

[2] Esta secuencia figura en la película de una manera distinta. Primeramente contemplamos la llegada de la «camioneta del cine» por la carretera, con un título en sobreim-

hace su repentina aparición, rompiendo la quietud del lugar. Se detiene frente a un caserón, con aire de posada antigua, que permanece herméticamente cerrado, sin señal alguna de vida. De la camioneta bajan dos hombres, con pinta de ser gente de ciudad. Atraviesan la plaza a pasos cortos y nerviosos, frotándose las manos para entrar en calor. Penetran en un bar cercano. La camioneta solitaria, al sol. Un niño, surgido de un soportal en penumbra, se acerca lleno de curiosidad.

SEC. 2. ESCENA 2. PLAZA DEL PUEBLO. *Ext. día.*

El número de niños curiosos alrededor de la camioneta ha aumentado. Algunos juegan corriendo, saltando, por las inmediaciones, sin dejar de cambiar exaltadas impresiones entre sí. Parecen muy alegres. Se vuelven para mirar al otro lado de la plaza. Del bar salen los dos hombres del comienzo. Ahora en compañía de un tercero, al que dan escolta. Es un tipo con aspecto de cazurro, muy grueso, que cubre su cabeza con una gorra de visera, y que lleva en la mano un manojo de llaves enormes. Mientras los dos acólitos se quedan junto a la camioneta, el hombre gordo abre el portalón de la casa. Por allí, en tiempos, debían entrar las diligencias. Los

presión: «UN LUGAR DE LA MESETA CASTELLANA, HACIA 1940». En un letrero situado al borde del camino, bajo el típico emblema del Yugo y las Flechas, se lee el nombre del pueblo: HOYUELOS. La camioneta se detiene frente al edificio que hace las veces de cine (en realidad, la sala de juntas del Ayuntamiento del pueblo, único lugar de reunión pública, y donde en tiempos se daban efectivamente algunas proyecciones de películas), acompañada por un grupo de chavales que van gritando: «¡Que viene el cine! ¡Que viene el cine! ¡Cine, cine, cine!» El proyeccionista y su ayudante descargan el material, mientras el empresario de la función, un hombre grueso que fuma un puro, intenta explicar a los niños de qué trata la película.

NIÑOS. ¡Cajas de carretes! ¡Carretes! ¡Cajas de carretes!

EMPRESARIO. Dejar sitio, dejar sitio...

NIÑOS. ¿De qué trata la película?

EMPRESARIO. ¿La película? Es preciosa. Es una cosa...

UN NIÑO (interrumpiendo). ¿Es de miedo?

EMPRESARIO. ... no habéis visto nunca...

OTRO NIÑO. ¿Es de pistoleros?

OTRO NIÑO. ¡De indios!

EMPRESARIO. Es la película más bonita que existe... Es una cosa divina. No digo más que es la mejor que traigo al pueblo. De manera que fijaros qué pedazo de película será... ¡Enorme! ¡Una película olé!

34

dos hombres han penetrado en la parte trasera del vehículo que está completamente cubierta por una lona, siempre acompañados por la curiosidad de los niños. Aparecen al cabo de unos segundos, llevando entre los dos, con mucho cuidado, un artefacto. Se trata de un viejo proyector cinematográfico. Los niños se apartan para dejarles paso. Los hombres desaparecen en el interior del caserón.

SEC. 2. ESCENA 3. PLAZA DEL PUEBLO. *Ext. día.*

Unas manos van sacando: Una pantalla enrollada. Un altavoz. Unas latas que deben contener los rollos de una película.

Fundido en negro.

SEC. 3. ESCENA 1. PLAZA DEL PUEBLO. *Ext. día*[3].

La plaza del pueblo aparece ahora bastante animada. Un grupo de personas, formando una cola más bien informal, esperan a la entrada del caserón que hay en un ángulo. En la fachada, una pizarra y un cartel anuncian la proyección de una película, sirviendo como reclamo. Los espectadores, entre los que abundan los niños, van entrando en el interior del local. Muchos llevan en la mano una silla, un banco. Dos niñas atraviesan corriendo la plaza y se unen a la cola.

Se oyen cinco campanadas.

CINCO CAMPANADAS EN «OFF».

Encadenado.

---

[3] Esta escena no fue rodada. En su lugar vemos un plano de una mujer del pueblo que, tras hacer sonar un cornetín, lee un texto que lleva apuntado en un trozo de papel. Es la pregonera.

PREGONERA. «Esta tarde, en el Ayuntamiento, a las cinco, habrá gran función de cine, con la película *El doctor Frankenstein*. El precio de la entrada será de una peseta para los mayores, y dos reales los menores.»

SEC. 3. ESCENA 2. PLAZA DEL PUEBLO. *Ext. día* [4].

El mismo ángulo de la plaza. Toda la gente ha desaparecido ya en el interior del caserón, cuyas puertas y ventanas están herméticamente cerradas. La película ha empezado. Alguna pareja se detiene y echa un vistazo a la pizarra, al cartel. Nos resulta imposible apreciar su contenido. Poco a poco vamos percibiendo algo insólito. Una música lejana, sinfónica, voces, gritos, ruidos de todas clases.

BANDA SONORA, BORROSA, DE UNA PELICULA.

Nada ni nadie parece inquietarse lo más mínimo. A través de los cristales de las ventanas del bar, vemos un momento a los grupos de hombres sentados alrededor de las mesas. La atmósfera cargada de humo. El ruido constante de las fichas del dominó golpeando el mármol.

CONTINUA BANDA SONORA DE PELICULA EN «OFF».

Un par de mujeres, la mantilla puesta, cruzan la plaza de prisa.

---

4 Escena no rodada. En su lugar, asistimos al comienzo de la proyección de la película en el interior del local. Hombres, mujeres y niños llevan consigo su propio asiento. Los niños son los primeros en entrar, situándose en primera fila, al pie de la pantalla: un rectángulo pintado en la pared. El empresario se halla situado junto a la puerta; tiene una caja de puros vacía en la mano, y es en ella donde los espectadores van depositando el precio de la entrada. El empresario cambia algunas frases con su clientela.
EMPRESARIO. Venga, Tomasa ¿qué pasa?
MUJER (en voz baja). A ver si hoy lo hacéis mejor...
EMPRESARIO. Pero si es magnífica... ¡Magnífica!
EMPRESARIO (a otra mujer). A ver si prendemos fuego... Cuidado con el braserito...
El local, en cuyo centro se encuentra instalado el proyector cinematográfico, aparece lleno. Entre los espectadores, las dos niñas protagonistas, pero sin que su presencia nos haya sido especialmente subrayada. Las luces se apagan, y la función comienza. En la pantalla, la primera escena del film de James Whale: un presentador vestido de smoking, con un cierto aire tétrico dentro de su elegancia, surge sobre un escenario, teniendo como fondo unos cortinones, y con voz que quiere ser persuasiva y sugerente, dirigiéndose directamente al público, comienza a decir:
PRESENTADOR. «Buenas noches. El productor y los realizadores de esta película no han querido presentarla sin hacer antes una advertencia. Se trata de la historia del doctor Frankenstein, un hombre de ciencia que intentó crear un ser vivo sin pensar que eso sólo puede hacerlo Dios.
Es una de las historias más extrañas que hemos oído. Trata de los grandes misterios de la creación, la vida y la muerte. Pónganse en guardia. Tal vez les escandalice. Incluso puede horrorizarles. Pocas películas han causado mayor impresión en el mundo entero. Pero yo les aconsejo que no la tomen muy en serio.»

LA CAMPANA DE LA IGLESIA LLAMA AL ROSARIO VESPERTINO.

Unos cuantos mozos pasean de un lado a otro, en bicicleta, desorientados, aburridos, tratando de consumir energías, girando una y otra vez alrededor de la plaza.

SE VA HACIENDO UN SILENCIO TOTAL.

Lento fundido en negro.

SEC. 4. ESCENA 1. SALA DE CINE. PROYECCION. *Int.* [5].

Un haz de luz blanca, cegadora, dirigida directamente al objetivo de la cámara.

RUIDO DEL PROYECTOR.

A orillas de un río, una niña y un monstruo se han encontrado. Ella está sentada sobre la hierba, sosteniendo entre sus brazos un ramillete de margaritas. El aparece arrodillado frente a la niña, ligeramente inclinado hacia adelante, solícito, sosteniendo en su mano derecha una flor. La niña y el monstruo se miran. Casi se diría que los dos sonríen. La luz blanca del comienzo, vista ahora en perspectiva, lo que permite identificarla exactamente: es el haz luminoso de un proyector cinematográfico. La escena que estamos viendo pertenece, por tanto, a la más pura fantasía. Tiene lugar en una pantalla, en el interior de una vieja sala de cine. Entre los espectadores, dos niñas. La pequeña se llama ANA, *tiene unos seis años. Contempla con mucha atención el desarrollo de la escena. Su rostro, iluminado por la luz que refleja la pantalla, revela una gran ansiedad. A su*

5 Esta secuencia fue cambiada de lugar poco antes de comenzar el rodaje, siendo situada más adelante en el desarrollo de la acción (ver nota 14). Fue sustituida por la primera parte de la secuencia 6, que se desarrolla en el campo de colmenas. En las imágenes contemplamos a un apicultor (FERNANDO) que se halla manipulando unos panales, sirviéndose de su fumarola. Sobre un gran primer plano de su rostro, apenas entrevisto a través de la rejilla de la caperuza protectora, comenzamos a oír la voz de una mujer (TERESA). TERESA (en («off»). «Aunque me doy cuenta de que ya nada puede hacer volver aquellas horas felices que pasamos juntos, pido a Dios que me conceda la alegría de volver a encontrarte...»

derecha, hay otra niña. Es ISABEL. *Tiene unos nueve años y es la hermana mayor de* ANA. *Su expresión aparece menos turbada, como más concentrada. En el interior de su boca, un bulto —un caramelo, sin duda—, que se mueve de cuando en cuando, es el único indicio de un ligero nerviosismo. De pronto, en la pantalla, de una manera torpe e impremeditada, y por ello mismo quizá aún más terrible, el monstruo mata a la niña que recogía margaritas a orillas del río.* ANA, *reflejando en su rostro una expresión de asombro y terror, se hunde en la butaca.* ISABEL, *al advertir su reacción, sonríe. Sonrisa que no pasa desapercibida para* ANA: *signo de una autosuficiencia irritante y al mismo tiempo enigmática. Por ello,* ANA *se dirige a* ISABEL, *que está inclinada hacia adelante, los brazos apoyados en el respaldo de la butaca que tiene enfrente, la cabeza levantada hacia la pantalla. Tocándola en un brazo, la llama.*

ANA.   Isabel...

ISABEL se vuelve hacia su hermana, y colocando el dedo índice sobre los labios, contesta:

ISABEL.   Chisss...

ANA insiste, en voz muy baja, acercándose un poco más.

ANA.   ¿Por qué la ha matado?

ISABEL ordena:

ISABEL.   ¡Cállate!

Y, tras una pausa, volviéndose, más condescenciente, añade:

ISABEL.   Te lo diré luego.

Y se vuelve hacia la pantalla. ANA, *quizás resignada, quizás satisfecha de momento, hace lo mismo. Poco a poco su atención es atraída nuevamente por lo que sucede en la película.*

Fundido en negro.

SEC. 5. ESCENA 1. ANGULO JUNTO A VENTANA. CASA DEL APICULTOR. *Int. día*[6].

Las manos de una mujer, muy largas y cuidadas. La izquierda está apoyada sobre una cuartilla de papel satinado, de color azul pálido; mientras, la derecha, utilizando una pluma de tintero, escribe una carta. La caligrafía es clara. La mujer representa alrededor de unos treinta y cinco años. Es muy bella. En su rostro lleva el estigma de un refinamiento aprendido y casi soñado. Está sentada frente a un pequeño «bureau», junto a una ventana. Los cristales de esa ventana reproducen en su superficie formas geométricas exagonales, similares a las celdillas de los panales de una colmena. Sobre el «bureau», distribuidos ordenadamente, una serie de detalles. Una fotografía enmarcada, de dos niñas: ANA *e* ISABEL. *Una rosa, recién cortada, en un vaso de cristal. Una figurilla de porcelana francesa que representa una clásica escena galante. Esta serie de detalles tienden a convertir el «bureau» en el escenario, cuidadosamente dispuesto, de una representación que se adivina casi cotidiana: la escritura de una carta. La mujer hace ahora una pausa, la pluma en la mano, suspendida en el aire. Mira un momento hacia la ventana.*

UN PITIDO DE TREN LEJANO.

---

6 Continúa la voz interior de TERESA, mientras la vemos por vez primera, descubriendo que sus palabras pertenecen al texto de una carta que está escribiendo, del «bureau» faltan la foto de las dos niñas y la figurilla de porcelana.

TERESA (continúa en «off»). «... Se lo he pedido siempre, desde que nos separamos en medio de la guerra, y se lo sigo pidiendo ahora, en este rincón donde Fernando, las niñas y yo tratamos de sobrevivir.

Salvo las paredes, apenas queda nada de la casa que tú conociste. A menudo me pregunto a dónde habrá ido a parar todo lo que en ella guardábamos. No lo digo por nostalgia. Resulta difícil volver a tener nostalgia después de lo que nos ha tocado vivir en estos últimos años. Pero, a veces, cuando miro a mi alrededor y descubro tantas ausencias, tantas cosas destruidas, y al mismo tiempo tanta tristeza, algo me dice que quizás con ellas se fue nuestra capacidad para sentir de verdad la vida.

Ni siquiera sé si esta carta llegará a tus manos. Las noticias que recibimos de fuera son tan pocas y tan confusas... Por favor, escribe pronto. Que sepa que aún vives.

Recibe todo el cariño de:
TERESA.»

A continuación vemos un plano muy general de una carretera que se pierde entre los campos. TERESA, montada en bicicleta, se aleja por ese camino, cuesta abajo, dejándose llevar, sin dar a los pedales.

Un fragmento de la carta que escribe.

Lento encadenado.

VOZ DE LA MUJER («off»).   «Ni siquiera sé si esta carta llegará a tus manos...»

EL RUIDO DE UN TREN QUE SE ACERCA RESOPLANDO.

SEC. 5. ESCENA 2.   ANDEN DE ESTACION RURAL.   *Ext. día* [7].

Un tren, del que tira una locomotora de vapor, se está acercando, desde el fondo de una vía muy larga y recta, a una estación rural.

TREN QUE SE ACERCA DESDE LEJOS.

En uno de los extremos del andén, aquel por donde el tren va a entrar, de espaldas al pequeño grupo de personas que esperan, está la mujer que escribía una carta. Se halla sola, justo allí donde la superficie de cemento acaba, como al final de un muelle en un puerto. Tiene un libro en la mano. Su mirada fija en el humo blanco de la locomotora, que surge ahora flotando entre unos árboles que bordean la vía.

VOZ INTERIOR DE LA MUJER («off») (continuación).   «Las noticias que recibimos de fuera son tan pocas y tan confusas... Aunque me doy cuenta de que ya nada puede hacer volver aquellas horas felices que pasamos juntos, pido a Dios que me conceda la alegría de volver a encontrarte. Se lo he pedido siempre, desde que nos separamos, incluso en medio de la guerra. Y se lo sigo pidiendo ahora, en este rincón donde Fernando, las niñas y yo tratamos de sobrevivir.»

El tren entra en la estación, deteniéndose en medio de una gran nube de vapor. A su alrededor, se inicia un

---

7 En la película no hay voz interior de TERESA. Esta llega montada en su bicicleta, con prisa, justo al mismo tiempo que el tren entra en la estación. TERESA no lleva ningún libro en la mano. Se dirige rápidamente al vagón correo y deposita en él su carta. Luego, de pie, inmóvil, contempla la partida del tren. Finalmente, se aleja.

leve ajetreo. Algunos pasajeros, semiadormilados en sus asientos, lanzan una mirada desvaída, fatigada, a través de las ventanillas. Alguno sale de su letargo al contemplar el paso de la mujer que se acerca al vagón correo. Extrae del libro una carta. Y la echa al buzón. La locomotora silba y se pone en marcha. Una nube de vapor envuelve a la mujer.

Encadenado.

SEC. 5. ESCENA 3. ANGULO JUNTO A VENTANA. CASA DEL APICULTOR. *Int. día* [8].

La mano de la mujer con la pluma, en el aire, suspendida.

ACABA EL RUIDO DEL TREN.

Su mirada abstraída. La mano vuelve a escribir. Es el final de la carta. Fragmento de la carta.

FRAGMENTO DE LA CARTA. VOZ EN «OFF» DE LA MUJER. «Por favor, escribe. Que sepa que aún vives. Recibe todo el cariño de: TERESA.»

La luz de la tarde a través de la ventana. Las celdillas exagonales, como el panal de una colmena.

SURGE POCO A POCO EL ZUMBIDO DE ABEJAS.

Encadenado.

SEC. 6. ESCENA 1. CAMPO DE COLMENAS. *Ext. atardecer* [9].

Viene de encadenado.

ZUMBIDO DE ABEJAS.

---

[8] Este fragmento, junto con el texto de la carta, va incluido en la primera escena de la secuencia número 5 (ver nota 6).
[9] Situada inmediatamente después de la secuencia de la estación.

La ciudad de las abejas. Un APICULTOR, *provisto de una fumarola, manipula en un panal. El personaje y el lugar nos son conocidos. El* APICULTOR *deja de hacer humo. Tapa la colmena. Se yergue, llevándose una mano a los riñones. Da unos pasos. Y se quita la caperuza protectora. Respira hondo. Es un hombre alto, de unos cuarenta y cinco años, algo desgarbado, de expresión levemente ausente. La mirada, sin embargo, es viva, inteligente. Saca de un bolsillo un reloj plateado. Abre su tapa. Una música se deja oír. Su sonido parece poner fin a la labor del* APICULTOR.

SONIDO DE CAJA DE MUSICA PERTENECIENTE AL RELOJ.

Este vuelve a cerrar la tapa del reloj. Y andando lentamente, abandona el campo de colmenas [10].

SEC. 6. ESCENA 2. FACHADA CASA DEL APICULTOR. *Ext. día.*

La fachada de una casa grande, solariega, situada en el extremo del pueblo, casi solitaria. En los muros de piedra, un escudo de armas, un reloj de sol. Una larga hilera de ventanas. Los cristales de todas ellas reproducen en su superficie formas geométricas exagonales, semejantes a las celdillas del panal de una colmena. La extensión de terreno que rodea la casa, dividida en dos, es una mezcla indiferenciada de huerta y jardín. La primera se halla muy cuidada; el segundo, casi abandonado. Todo el conjunto aparece marcado por el paso del tiempo. Da la impresión de haber permanecido deshabitado durante largas temporadas. El APICULTOR *atraviesa la*

---

[10] FERNANDO, durante la consulta de su reloj, no se quita la caperuza protectora. Es un poco más tarde, fuera ya del campo de colmenas, cuando lo hace. Se acerca a la cámara y enciende un cigarrillo. Le vemos el rostro con claridad por vez primera.

En la película, sigue una secuencia en la que FERNANDO pasa por delante del local del pueblo donde se proyecta *El doctor Frankenstein*. Se detiene un momento, y contempla el cartel anunciador que hay colgado del muro. Luego, se aleja escuchando un fragmento de la banda sonora del film de Whale, aquel que precisamente reproduce el instante en que el monstruo empieza a cobrar vida.

FRANKENSTEIN (al monstruo). ¡Siéntate, siéntate! Adelante, doctor... Ya ve que entiende...
¡Fíjese!

46

verja de entrada. En el jardín, un perro, saltando alegre, sale a su encuentro.

LADRIDOS DE UN PERRO EN «OFF».

El hombre y el perro entran en la casa[11].

SEC. 6. ESCENA 3. HUERTA. CASA DEL APICULTOR. *Ext. día.*

La parte trasera de la casa está dedicada, en su mayor parte, a huerta. Hay también un invernadero y algún corral. Gallinas, cerdos, conejos. Una mujer, MILAGROS, *está allí, dando de comer a las gallinas.* MILAGROS *tiene alrededor de cincuenta años. Es la mujer de* JOSE, *el hombre que cuida del cultivo de la huerta. El* APICULTOR *sale de la casa y va andando hacia* MILAGROS. *Lleva en la mano un ejemplar de un periódico de la capital[12].*

MILAGROS. Pitas, pitas, pitas...

El APICULTOR, *mientras echa un vistazo al periódico, pregunta:*

APICULTOR. ¿Sabe usted dónde se ha metido mi mujer?

MILAGROS, *continuando con su tarea, contesta:*

MILAGROS. Me parece que fue a buscar a las niñas, al cine...

MILAGROS *deja caer su delantal, que mantenía doblado, guardando en el interior del pliegue los granos de maíz.*

APICULTOR. Milagros, ¿tiene usted algo de merendar?

11 Aquí sigue una breve escena en la que FERNANDO sube las escaleras interiores de la casa, llega al primer piso, abre un par de puertas, y llama varias veces, pronunciando el mismo nombre de la mujer que firmaba el texto de la carta.

12 El apicultor no desciende a la huerta. Permanece durante toda la escena asomado a la barandilla de piedra del corredor que hay en la primera planta de la casa. No lleva en la mano periódico alguno. El diálogo con MILAGROS, la criada, ha quedado como sigue:

FERNANDO. Milagros, ¿ha visto usted a mi mujer?
MILAGROS. Me parece que salió hace un rato...
FERNANDO. ¿Y las niñas?
MILAGROS. Están en el cine.
FERNANDO. ¿Tiene usted algo para merendar?
MILAGROS. Algo habrá... Lo que debe de hacer es comer a sus horas y no andar por ahí de imaginaria...

MILAGROS *avanza hacia la puerta de la casa seguida por el* APICULTOR.

MILAGROS. Algo habrá... Pero lo que usted debe de hacer es comer a sus horas, y no andar por ahí de imaginaria...

Los dos desaparecen en el interior de la casa.

SEC. 6. ESCENA 4. ESTUDIO DEL APICULTOR. *Int. día.*

El estudio del apicultor. Una especie de «santa santorum». Situado en uno de los ángulos superiores de la casa, es una habitación de amplias dimensiones. Tiene una ventana lateral que se abre hacia Levante, y un balcón orientado a Poniente. El lugar posee, al mismo tiempo, algo de despacho, granero, laboratorio y museo. En la ventana, semiintroducido en el interior de la estancia, una especie de cajón. Su parte anterior, que no llegamos a ver, permanece fuera; la posterior, dentro. Se trata de una colmena de observación, provista de paredes de cristal, a través de la cual es posible estudiar cómodamente la vida cotidiana del enjambre. Este es el elemento más llamativo, el centro mismo, del decorado. El resto lo constituyen una serie de muebles y objetos de muy diversa índole. Instrumentos de apicultura, piedras, una radio galena, una máquina de escribir, muchos libros cubriendo parte de los muros, termómetros de alcohol y mercurio, un barómetro, un cuadro de Turner, ningún espejo... El APICULTOR *entra en la habitación, acompañado de su perro. Se quita el guardapolvos, y lo cuelga, junto a la caperuza, de un perchero que hay en un rincón. Se pone una chaqueta de pana*[13].

---

[13] En las imágenes, FERNANDO no se pone ninguna chaqueta. Coge de encima de su escritorio lo que parece una revista. Echa un vistazo a la colmena de observación y se sienta en su sillón favorito. Se pone unas gafas y desdobla la revista. Se trata de un ejemplar de *Mundo;* en su portada, la foto de un soldado del Tercer Reich en el frente de Stalingrado. A través del balcón cercano, comienzan a oírse unas voces procedentes de la banda sonora de *El doctor Frankenstein.* Sin duda, la casa del apicultor está situada muy cerca del cine. Al principio, las voces son sólo un murmullo apenas inteligible.
FRANKENSTEIN («off»). Siéntese doctor. Tenga un poco de paciencia... ¿Acaso esperaba un resultado inmediato?

Va hasta el balcón. Lo abre. Saca una petaca y, contemplando el crepúsculo, empieza a liar un cigarro. El perro, a su lado, deposita discretamente sus cuartos traseros en el suelo, levanta las orejas y adopta la misma actitud que su amo [14].

UN DOCTOR («off»). Hay que eliminar a ese ser que ha creado... Hágame caso, puede ser peligroso...

FERNANDO deja la revista y empieza a escuchar.

FRANKENSTEIN («off»). Me sorprende usted... Dígame, doctor, ¿no ha deseado usted nunca hacer algo peligroso? ¿Qué pasaría si nos fuéramos más allá de lo desconocido? ¿No ha ambicionado nunca mirar más allá...

FERNANDO se levanta, abre el balcón, sale al exterior y se apoya en el quicio de la puerta.

FRANKENSTEIN («off»). ... de las nubes o las estrellas, o saber lo que hace crecer los árboles y cambiar las sombras en luz? Pero hablando así le llaman a uno loco. Ahora que si yo pudiera descubrir alguna de estas cuestiones, qué es la eternidad, por ejemplo, no me importaría absolutamente nada que dijeran que estoy loco.

UN DOCTOR («off»). Es usted joven. Le ha aturdido su éxito. Despierte y vea la realidad. Un demonio cuyo cerebro... hay que dar tiempo para que se desarrolle...

FRANKENSTEIN («off»). Es un cerebro perfecto, doctor. Puede usted enterarse. Procede de su laboratorio...

UN DOCTOR («off»). ¡El cerebro robado de mi laboratorio era el de un criminal!

14 El montaje sitúa a continuación la secuencia número 4 del guión literario (ver nota 5). En la pantalla del improvisado cine del pueblo, contemplamos a un campesino que se despide de su hija.

NIÑA. ¿Tardarás mucho, papá?

PADRE. No, no. Si Hans viene, dile que vuelvo pronto, ¿eh?...

NIÑA. ¿Por qué no te quedas a jugar conmigo?

PADRE. Tengo que hacer, nena. Juega tú con el gatito...

NIÑA. Adiós, papá...

PADRE. Adiós, y pórtate bien.

Instantes después, de improviso, el monstruo (Boris Karlof) de Frankenstein aparece. Entre él y la niña tiene lugar la famosa escena en la cual ambos juegan inocentemente a orillas del río, lanzando flores al agua, y que culminará con la muerte de la pequeña. Las imágenes y los sonidos de esta escena se presentan alternados con planos de los espectadores infantiles, sobre todo de ANA e ISABEL, como es lógico. El monstruo permanece mudo, y es únicamente la niña quien habla.

NIÑA (al monstruo). ¿Quién eres tú? Yo soy María...

NIÑA. ¿Quieres jugar conmigo?

NIÑA. ¿Te gusta que te dé una de mis flores?

NIÑA. Esta es para ti y ésta es para mí...

NIÑA (arrojando una flor al agua). ¿Ves cómo flotan?

La escena acaba con la imagen de las flores flotando en el agua. Al parecer, los productores de *El doctor Frankenstein* eliminaron la acción del monstruo arrojando la niña al río. Su ausencia, a nivel dramático, provoca una elipsis forzosa; elipsis que, al ser integrada por el montaje dentro de la continuidad visual de la película española, parecía desdoblarse acentuando la impresión de que algo importante se nos escamoteaba. Para paliar este efecto, y tratando de abrir otra perspectiva al punto de vista del espectador, se rodaron y montaron en este lugar dos planos de TERESA, de regreso de la estación, que pasa por delante del cine en bicicleta, sin detenerse, entrando finalmente en su casa.

La acción de la película vuelve de nuevo al interior del cine, en cuya pantalla vemos cómo el campesino del principio camina lentamente, la mirada perdida, por la calle de un pueblo, llevando en brazos el cadáver de su hija, la niña que jugaba con el monstruo a orillas del agua. Ante estas imágenes, ANA habla por vez primera, preguntando a su hermana ISABEL:

ANA. ¿Por qué la ha matado?

ISABEL no contesta. ANA insiste.

ANA. ¿Por qué la ha matado?

ISABEL. Te lo diré luego.

50

SEC. 7. ESCENA 1. FACHADA DEL CINE DEL PUEBLO.
Ext. atardecer [15].

SUENAN LAS CAMPANAS DE LA IGLESIA LLAMANDO AL ROSARIO.

La fachada del cine pertenece a un caserón destartalado, de una sola planta. Colgada a la entrada, una cartelera anuncia la película del día: «Frankenstein». En un lateral del edificio, atados a unos árboles, un par de burros, provistos de alforjas. Junto a ellos, apoyadas en el muro, unas bicicletas.

VOCES Y MUSICA QUE PROCEDEN DEL INTERIOR DEL CINE. ALGUN GRITO.

Del interior del local llegan algunos fragmentos de diálogo, música, gritos. Algunas parejas esperan.

LA MUSICA EN «OFF» CRECE.

Se abre la puerta del local. Salen los espectadores. Son gentes del pueblo. Lo hacen despacio, comentando. Entre ellos, dos niñas: ANA e ISABEL. Aparecen con otro grupo de niños del pueblo. Uno de ellos, un chaval de pelo rapado, zanquilargo y cara de pillo, se coloca de puntillas, estirando todo el cuerpo, mete la cabeza entre los brazos y, bamboleándose, comienza a andar imitando al monstruo cinematográfico. Las niñas echan a correr, gritando, jugando. De esta manera, ANA e ISABEL atraviesan la carretera. Al otro lado, está TERESA, la madre, esperándolas. Es la mujer que escribía una carta. Lleva en la mano un libro. Las tres se pierden juntas, calle abajo, entre las casas del pueblo.

SEC. 7. ESCENA 2. FACHADA DE LA CASA DEL APICULTOR.
Ext. atardecer [16].

La fachada de la casa del apicultor. Los muros de piedra, el escudo de armas, el reloj de sol. En un ángulo,

---

15 No rodada.
16 En la película, TERESA no aparece. ANA e ISABEL, de vuelta del cine, atraviesan corriendo el jardín de la casa, en un plano muy general; abren el portal y, dando algún que otro

el balcón, iluminado ya, del estudio. La mujer y las dos niñas atraviesan la verja de entrada. ISABEL, *al ver la luz encendida en el piso superior, echa a correr, anticipándose. Entra la primera en el interior.* ANA *y su madre, cogidas de la mano, la siguen.*

Lento fundido en negro.

SEC. 8. ESCENA 1. FACHADA CASA DEL APICULTOR. *Exterior noche.*

La fachada de la casa del apicultor, en la noche. Hay en ella tres o cuatro luces encendidas. La voz de una niña —la voz de ANA—, *en «off», comienza a rezar una de las jaculatorias que se usan al acostarse.*

ANA («off»).   Por la señal de la santa Cruz...

El pueblo, a nuestros pies, recogido, en la noche. Docenas de luces diminutas repartidas aquí y allá, brillando en la oscuridad [17].

ANA («off»).   ... de nuestros enemigos líbranos Señor...

De pronto, simultáneamente, las luces de las calles, plazas y casas comienzan a parpadear. Se debaten unos instantes, conmovidas por una fuerza desconocida y, finalmente, se apagan. En la casa del apicultor, todo es oscuridad igualmente.

ANA («off»).   ... Dios nuestro. En el nombre del Padre...

La voz de la niña, con una pausa, refleja el efecto del apagón. Luego, la jaculatoria continúa.

---

grito, desaparecen en su interior, siempre jugando, huyendo, como si sintieran miedo de alguien.
ANA e ISABEL. Ag, ag.
ISABEL. ¡Frankenstein!
ANA e ISABEL. Ay, ay...
    17 En la película no existe ninguna vista general del pueblo en la noche. El apagón de luz se da sobre la fachada de la casa del apicultor, a través de cuyas ventanas vemos brillar alguna luz.

ANA («off»). ... del Hijo y del Espíritu Santo...

Sólo la luz de la luna, que se anuncia ya en el cielo, enviará sobre este paisaje en penumbra, solitario, un poco de luz pálida.

ANA («off»). Amén.

SEC. 8. ESCENA 2. HABITACION DE LAS NIÑAS. *Int. noche.*

ANA, *a los pies de su cama, ha terminado su jaculatoria. La habitación es de mediana amplitud. Hay dos camas, de similares características y proporciones, unidas, con sus cabeceras pegadas a una de las paredes laterales. En el centro, un balcón abre sus puertas sobre el jardín. La única luz que ilumina la estancia, la de la luna, proviene de este punto.* ANA *se mete entre las sábanas. Al lado, sentada en la cama,* ISABEL *ha visto interrumpida la lectura de un libro a causa del apagón. Murmura una protesta* [18].

ISABEL. ¡Siempre igual!

Y se acuesta también, de cara a su hermana. Se tapa hasta el cuello con el cobertor, y cierra los ojos compulsivamente, parodiando la obligación de dormir a la que la somete, indirectamente, el apagón. En esa actitud la sorprende la voz de ANA.

ANA. Isabel...

ISABEL *no abre los ojos, pero contesta.*

ISABEL. Qué...

[18] En la película vemos primero la imagen en penumbra de una mesilla de noche sobre la que hay un cuadrito con una estampa de la Virgen, y un pequeño chimpancé de trapo; en el centro, una palmatoria con su vela. Oímos en «off»:
ANA (a ISABEL, en «off»). ¿Dónde has escondido las cerillas?
ISABEL («off»). En el cajón.
ANA abre el cajón de la mesilla, saca una caja de cerillas y enciende la vela. La habitación se ilumina levemente. Descubrimos dos camas gemelas; la situada a la izquierda del espectador corresponde a ISABEL; la de la derecha, a ANA. Comienza el diálogo entre ambas.

ANA. Cuéntame lo que me ibas a contar.

ISABEL *sigue con los ojos cerrados.*

ISABEL. El qué...

ANA. La película...

ISABEL *escurre el bulto.*

ISABEL. Mañana [19].

ANA *insiste.*

ANA. Mañana, no. Ahora; lo has prometido [20].

Segura de sus derechos, decidida, ANA *se acerca más a su hermana, para verla mejor, y así obligarla a contestar. Están las dos muy juntas, frente a frente. La luz de la ventana llega lateralmente, y deja un poco en penumbra el rostro de* ISABEL. *El de* ANA *se ve con nitidez. Sin hacer caso de la actitud de* ISABEL, *que sigue con los ojos cerrados,* ANA *comienza su interrogatorio.*

ANA. ¿Por qué el monstruo mata a la niña y por qué luego le matan a él?

ISABEL *continúa con los ojos cerrados, sin abrir la boca.* ANA *espera. Luego, dice:*

ANA. Tú no lo sabes... ¿Ves? Eres una mentirosa [21].

ISABEL, *sin abrir los ojos, murmura con rapidez, pero sin darle aparente importancia.*

ISABEL. No lo matan.

ANA. ¿No? [22]

ISABEL. Y a la niña tampoco.

ISABEL *ha respondido con rapidez. El impacto que producen sus palabras en la hermana es evidente.* ANA *queda en suspenso, desconcertada quizá.* ANA *pregunta:*

---

19 En la película: «Ahora, no. Mañana.»
20 En la película: «Ahora. Me lo has prometido.»
21 En la película: «No lo sabes. Eres una mentirosa.»
22 Eliminado en el rodaje.

ANA. Y tú ¿cómo lo sabes?

ISABEL. Porque lo sé [23].

ANA *insiste:*

ANA. ¿Cómo sabes que él no muere?

ISABEL *abre los ojos por vez primera. Los fija en su hermana.*

ISABEL. Porque en el cine todo es mentira. Es un truco. Además yo le he visto a él vivo...

ANA. ¿Dónde?

ISABEL. En algunos sitios [24].

Una tregua. En el rostro de ANA, *asombro, quizá temor. En el piso de arriba, alguien se mueve de un lado a otro, lentamente, paseando.*

RUIDOS DE PASOS LENTOS EN «OFF».

Los pasos espolean la imaginación de ISABEL.

ISABEL. Vive escondido. Cerca del pueblo. En un sitio que yo sé. La gente no puede verle. El sólo sale de noche.

ACABAN LOS PASOS EN «OFF».

Después de una pausa, ANA *pregunta en voz más baja, casi derrotada.*

ANA. ¿Es un fantasma?

ISABEL. No. Es un espíritu.

ANA *parece descubrir algo:*

ANA. ¿Como el que dice doña Lucía?

ISABEL *asiente:*

ISABEL. Sí. Los espíritus no tienen cuerpo. Por eso no les pueden matar.

---

23 Eliminado en el rodaje.
24 Eliminado en el rodaje.

55

ANA. Pero en la película, él sí tenía... tenía cabeza, brazos, todo...

ISABEL *corta la explicación de su hermana.*

ISABEL. Eso es cuando se disfraza, para despistar, cuando sale a la calle.

Una larga pausa. Quizá ANA *reflexiona. Luego, agresiva, como si hubiera pillado en falta a su hermana, dice:*

ANA. Y si sólo sale por las noches ¿cómo hablas tú con él?

ISABEL. Qué tonta eres...Ya te lo he dicho: porque es un espíritu [25].

ISABEL *es la que ahora, incorporándose levemente, se acerca más a* ANA. *Su voz se hace más confidencial, lenta, insinuante. Su expresión quizá logre reflejarnos el placer raro que le proporciona el juego que está en trance de inventar.*

ISABEL. Si eres su amiga, puedes hablar con él cuando quieras...

Pausa. Silencio total. ISABEL *baja aún más la voz, como si estuviera comunicando un especialísimo secreto, la clave de un misterio.*

ISABEL. Cierras los ojos...

ANA, *en un acto reflejo, cierra levemente los ojos, imitando a su hermana. La voz de* ISABEL, *en «off», va repitiendo, como en un exorcismo:*

ISABEL («off»). ... y le llamas... Soy Ana, soy Ana...

El rostro de ANA, *los ojos cerrados* [26].

Lento fundido encadenado.

---

25 En la película: «Ya te lo he dicho: porque es un espíritu.»
26 Procedente del piso superior llega en este momento, con más claridad que nunca, el ruido de unos pasos. ANA abre los ojos, impresionada. Su mirada se cruza con la de ISABEL.

SEC. 8. ESCENA 3. FACHADA DE LA CASA DEL APICULTOR.
Ext. noche [27].

Viene de encadenado.

El rostro de ANA *se desvanece poco a poco, y en su lugar va apareciendo la imagen de la fachada de la casa del apicultor. En el piso superior, la luz de un quinqué comienza a encenderse. La llama crece lentamente hasta adquirir una intensidad determinada. Al mismo tiempo, muy lejana, como viniendo de otro mundo, escuchamos todavía la voz de* ISABEL *que repite por última vez las palabras de una especie de invocación.*

ISABEL («off»).   Soy Ana... Soy Ana...

La llama del quinqué se pone en movimiento, llevada por una mano invisible. Va pasando, ventana tras ventana, de una a otra habitación, hasta quedar fija en un punto.

Encadenado.

SEC. 9. ESCENA 1. ESTUDIO DEL APICULTOR. *Int. noche* [28].

Viene de encadenado.

En la noche, a la luz de un quinqué, sentado junto al balcón de su estudio, el APICULTOR *escucha la radio en un aparato de galena, provisto de auriculares y un dial de sintonización.*

Fundido en negro.

---

27 No rodada.
28 En la película, el orden de la mayoría de las escenas de esta secuencia ha sido cambiado; alguna ni siquiera fue rodada. Primeramente observamos a FERNANDO paseando de un lado a otro de su estudio; es el ruido de sus pasos lo que ha cargado de misterioso significado la invocación realizada por ANA e ISABEL en el piso de abajo. El APICULTOR pasea con las manos metidas en los bolsillos, la cabeza baja (esperando que esté preparado el café que se calienta dentro de una cafetera, sobre un pequeño infernillo situado en segundo término, no muy a la vista, sobre la mesa), silbando su canción favorita: el tango «Caminito». Abstraído, FERNANDO olvida su café, que hierve en su recipiente, desparramándose ligeramente. FERNANDO coge la cafetera como puede, huele su contenido y hace un gesto de fastidio.

A través de las paredes de cristal, el APICULTOR *observa el interior de la colmena de observación. Las abejas siguen trabajando, infatigables* [29].

Fundido en negro.

La mesa de trabajo. En el centro, un cuaderno y una pluma. El APICULTOR *enciende un cigarro en la llama del quinqué. Se sienta. Quita el capuchón a la pluma y comienza a escribir* [30].

COMIENZA MUSICA.

VOZ INTERIOR DEL APICULTOR. «Alguien a quien yo enseñaba últimamente, en mi colmena de cristal...»

Encadenado.

SEC. 9. ESCENA 2.   COLMENA DE OBSERVACION.   *Int. noche.*

El interior de la colmena. En su alvéolo, la abeja reina. Las princesas durmiendo en sus cámaras. Las nodrizas que velan su sueño. Los zánganos. Las cereras. Las obreras.

VOZ INTERIOR DEL APICULTOR.   «... el movimiento de esa rueda tan visible como la rueda principal de un reloj; alguien que veía a las claras la agitación innumerable de los panales, el zarandeo perpetuo, enigmático y loco de las nodrizas sobre las cunas de la nidada, los puentes y escaleras animados que forman las cereras...»

Encadenado.

SEC. 9. ESCENA 3.   ESTUDIO DEL APICULTOR.   *Int. noche.*

Viene de encadenado.

VOZ INTERIOR DEL APICULTOR.   «... las espirales invasoras de la reina, la actividad diversa e incesante de la multitud, el esfuerzo despiadado e inútil, las idas y venidas con un ardor febril,

---

[29] En la película, esta acción figura como fondo de la voz interior del apicultor, un poco más tarde.
[30] Antes se pone unas gafas.

el sueño ignorado fuera de las cunas que ya acecha el trabajo de mañana...»

La mano del apicultor escribiendo. La sombra del apicultor, paseando. El APICULTOR, *ante su biblioteca, busca un libro. Recorre con la vista las hileras de volúmenes. Una cafetera, sobre un mechero de alcohol, deja escapar un chorro de vapor hirviendo. El* APICULTOR *bebe una taza de café. El* APICULTOR, *en el balcón, contempla el cielo estrellado* [31].

SEC. 9.   ESCENA 4.   HABITACION DE LAS NIÑAS. *Int. noche.*

VOZ INTERIOR DEL APICULTOR.   «... el reposo mismo de la muerte, alejado de una residencia que no admite enfermos ni tumbas... alguien que miraba esas cosas, una vez pasado el asombro, no tardó en apartar la vista en la que se leía no sé qué triste espanto.»

Una luz, venida desde lejos, la luz de una llama, ilumina poco a poco los rostros de ANA *e* ISABEL, *dormidas. El* APICULTOR, *desde el umbral de la habitación, el quinqué en la mano, contempla el sueño de sus dos hijas. Suavemente, de la misma forma en que surgió, la luz de la llama se retira. Los rostros de las dos niñas desaparecen. Una puerta se cierra despacio. Unos pasos se alejan* [32].

SEC. 9. ESCENA 5.   FACHADA DE LA CASA DEL APICULTOR. *Ext. noche y amanecer.*

LA MUSICA SE VA APAGANDO.

La fachada de la casa. En el piso superior, en una de las ventanas, brilla aún la llama del quinqué del APICUL-TOR, *velando, en la noche.*

---

[31] No fueron rodadas la sombra del apicultor, ni su búsqueda de un libro, ni la contemplación del cielo estrellado. Sí, en cambio, la escena del café, pero del modo en que ya hemos visto.
[32] La acción vuelve al interior del estudio de FERNANDO. Vemos su mano tachando nerviosamente un par de líneas del texto que está redactando. Luego, deja la pluma, se quita las gafas y se pasa una mano por los ojos. Parece cansado. Nos mira.

Encadenado.

La noche se acaba. La llama del quinqué, muy pálida e insignificante.

Encadenado.

Las primeras luces del alba. La llama del quinqué se ha extinguido.

FIN DE LA MUSICA.

PRIMEROS RUIDOS DEL AMANECER.

Encadenado.

SEC. 10. ESCENA 1. ESTUDIO DEL APICULTOR. *Int. amanecer.*

Sobre la mesa, la cabeza apoyada en los brazos cruzados, el APICULTOR *está dormido. A su alrededor, por todas partes, los restos diseminados de esta especie de cotidiano, nocturno, naufragio. Papeles emborronados, estrujados, rotos. Libros fuera de las estanterías, abiertos, amontonados. Tazas de café vacías. Abundante ceniza en los platillos. El perro, en un rincón, dormido. El perro que abre los ojos, como saliendo de un mal sueño, se despereza y se va. Silenciosamente* [33].

SEC. 10. ESCENA 2. DORMITORIO DEL APICULTOR. *Int. amanecer.*

La luz del amanecer se filtra a través de la ventana. En la habitación, hay una sola cama. En ella, una mujer, inmóvil, de espaldas a nosotros, parece dormir.

RUIDO DE PASOS ACERCANDOSE EN «OFF».

---

[33] El perro no realiza esta acción. Sobre la mesa de FERNANDO, entre el revoltijo de objetos, destaca una pajarita de papel blanco.

Se oyen unos pasos que se acercan por el pasillo. La mujer se vuelve hacia nosotros. Es TERESA. *No dormía.*

ALGUIEN ABRE LA PUERTA EN «OFF».

El ruido suave, cauteloso quizá, de la puerta del cuarto al ser abierta. Dos, tres pasos. TERESA *simula dormir.*

RUIDO DE SOMIER, DE ZAPATOS QUE CAEN AL SUELO.

Los muelles del somier se quejan. Alguien se ha sentado en la cama. Unos zapatos caen al suelo. Unos segundos de agitación en torno. Alguien se mete a su lado, entre las sábanas. Después, silencio. La mujer, los ojos abiertos, mira en dirección a la ventana, por donde empiezan a filtrarse ya la luz y los sonidos de los primeros minutos del día[34].

Fundido en negro.

SEC. 11. ESCENA 1. ESCUELA DEL PUEBLO. *Ext. día*[35].

RUIDOS GENERALES DEL PUEBLO A PRIMERA HORA DE LA MAÑANA.

La escuela. Un edificio dividido en dos secciones. Una pertenece a las niñas; la otra, a los niños. Surgiendo de diversos puntos, vestidos con sus guardapolvos rayados, los cabases en la mano, en pequeños grupos o bien aisladamente, niños y niñas caminan hacia la escuela.

COMIENZA A ESCUCHARSE UNA CANCION INFANTIL[36].

La fachada de la escuela. Una de las ventanas del aula de las niñas, en cuyo marco hay una hilera de geranios.

---

34 Antes de que TERESA cierre los ojos de nuevo, se escucha en el amanecer el sonido de un tren acercándose despacio, para después, sin interrupción alguna, irse perdiendo en la lejanía.

35 Esta escena se halla realizada desde una única posición de cámara, con un mismo encuadre. Una serie de encadenados nos van dando la llegada de los niños a la escuela (entre ellos, ANA e ISABEL), de una forma gradual. Finalmente, desde una de las ventanas del edificio, es izada una bandera nacional.

36 Su letra es la siguiente: «Dos y dos son cuatro, / cuatro y dos son seis, / seis y dos son ocho, / y ocho, dieciséis...»

SEC. 11. ESCENA 2. ESCUELA DEL PUEBLO. AULA DE LAS NIÑAS. *Int. día* [37].

En el interior de la escuela. En los pupitres, sólo niñas. Edades que oscilan entre los seis y los doce años, sentadas todas ellas en hileras verticales, de menor a mayor edad. En el centro de una de las filas, ISABEL y ANA. DOÑA LUCIA, la maestra, es una mujer de edad mediana. De espaldas a sus alumnas, hace un gesto gracioso, cerrando los ojos y tapándose los oídos, como si experimentara una especie de tortura. Deja caer los brazos y pone fin, volviéndose, al entusiasta «crescendo» de las niñas.

DOÑA LUCIA.   Vale, vale... [38]

Las niñas acaban de cantar. DOÑA LUCIA se acerca a la pizarra. Allí, colgando de la pared, descubre una lámina anatómica en la que se ve, a tamaño natural, la figura de un ser humano dibujada en sus perfiles [39]. Encima de su cabeza, en un letrero pegado, figura un nombre: «Don José». «Don José» mira hacia el frente, los brazos estirados a lo largo del cuerpo, las palmas de las manos hacia adelante. El dibujo tiene una particularidad: en el interior de sus perfiles hay trazadas una serie de demarcaciones numeradas, como las divisiones de un mapa por provincias. A cada una de estas demarcaciones corresponde exactamente un cartón, según el sistema de rompecabezas, en cada uno de los cuales está perfectamente recortado, a todo color, un órgano interno del cuerpo humano. Estos órganos de cartón cuelgan en fila, como en un matadero de juguete, junto a la lámina del cuerpo. Enganchados sucesivamente en su lugar corres-

---

[37] Al comienzo de esta escena las niñas siguen cantando: «... Y ocho, veinticuatro, / y ocho, treinta y dos, / ánimas benditas, / me arrodillo yo.» DOÑA LUCIA, la maestra, va andando de un lado al otro del aula, vigilando a sus alumnas.

[38] En la película: «Bueno, vale, vale... Guardad las cosas.» Las niñas empiezan a recoger sus libros y cuadernos.

[39] DON JOSE aparece, después de que DOÑA LUCIA retire el trapo negro que lo cubre, como un muñeco de fabricación casera, del tamaño aproximado de una persona, pintado y recortado sobre madera. Sus órganos, hechos del mismo material, se hallan amontonados sobre la mesa de la maestra.

pondiente, hasta rellenar la totalidad del perfil, llegan a componer la imagen completa del organismo humano. El descubrimiento del mapa anatómico, provoca en las niñas un rosario de cuchicheos, risas, movimientos, etc... como si estuvieran a punto de iniciar un juego. ANA *asiste ilusionada al descubrimiento de «Don José»; para ella es una novedad.* ISABEL, *por el contrario, lo hace más distanciada, charlando con sus vecinas, mientras maneja unas tijeras de labor, recortando algo* [40]. DOÑA LUCIA *dice:*

DOÑA LUCIA.   Silencio, niñas... Que se va a enfadar don José... [41]

Después, junto a la lámina, se vuelve, mira a sus alumnas y luego a la figura. Y dice:

DOÑA LUCIA.   Buenos días, don José...

Todas, a coro, gritan:

NIÑAS.   ¡Buenos días, don José!

Este es el inicio de la lección. Inicio que se revela necesariamente como un juego, en el que la maestra despliega un cierto sentido del humor, necesario a la hora de inventar un lenguaje común para niñas de muy variada edad. Es evidente que la parte de la iniciación, que corresponde sobre todo a la mentalidad de las más pequeñas, es la que mejor domina DOÑA LUCIA, *la que más le agrada.*

DOÑA LUCIA.   ¡Pobre don José! ¡Cómo está! ¿Quién lo habrá puesto así? [42]

NIÑAS.   ¡Usted, señora maestra! ¡Usted! ¡Usted!...

Después de sonreír abiertamente, DOÑA LUCIA *termina, como siempre, cortando el jolgorio, casi de forma brus-*

---

[40] En lugar de recortar papeles, ISABEL está concentrada en hacer deslizar un lápiz, una y otra vez, sobre la superficie inclinada de su pupitre.

[41] DOÑA LUCIA, destapando a DON JOSE, dice: «¡Silencio, silencio! Que se va a enfadar don José»

[42] En la película: «¡Pobre don José! ¿Quién lo habrá puesto así?»

ca. Pasa, de inmediato, a hablar para las mayores. Se-
ñala a una de éstas y pregunta:

DOÑA LUCIA.   A ver, tú, Elvira, qué le falta ahí a don José... [43]

Y señala con un puntero la «provincia» del corazón.
ELVIRA.   El corazón [44].

ELVIRA *se levanta, se acerca a la hilera de órganos de*
cartón, busca la víscera y la coloca en su sitio. DOÑA
LUCIA, *simultáneamente, pregunta:*

DOÑA LUCIA.   ¿Para qué sirve el corazón, Mari Carmen? [45]

MARI CARMEN *es una niña de las de edad mediana, sen-*
tada delante de ISABEL. *Se levanta y dice:*

MARI CARMEN.   Para respirar...

RISAS

Hay risas generales, entre ellas las de ISABEL. DOÑA LUCIA,
que ahora circula entre los pupitres situados al fondo
de la clase, controlando a las mayores, interviene:

DOÑA LUCIA.   Vosotras, las listas, las que os reís tanto, ¿qué es
lo que sirve para respirar?

VARIAS.   ¡Los pulmones!

DOÑA LUCIA *se vuelve a la niña que permanece aún junto*
a la lámina.

DOÑA LUCIA.   Elvira, pon a don José los pulmones [46].

La niña duda entre dos cartones. Coloca un hígado.

ALGUNAS NIÑAS EN «OFF».   No, no, nooo...

DOÑA LUCIA *menea la cabeza* [47].

DOÑA LUCIA («off»).   ¿Y el estómago dónde está? [48]

---

43 En la película: «Vamos a ver, Paulita: ¿qué es lo que le falta a don José?»
44 DOÑA LUCIA añade: «Muy bien. Pónselo.»
45 En la película: «Y tú, Mari Carmen, ¿para qué sirve el corazón?»
46 En la película: «Enséñalos.»
47 DOÑA LUCIA insiste a PAULITA: «Ponle los pulmones. Pónselos.»
48 En la película no figura.

La niña coloca el otro cartón que tiene escogido.

DOÑA LUCIA («off»). Muy bien... Y ¿para qué sirve el estómago?

ANA [49] *contempla todo este juego muy atenta, fascinada.* ISABEL, *a sus espaldas, está ocupada en recortar una muñeca de papel, y sus correspondientes vestidos, de una cartulina impresa y coloreada.* ISABEL, *concentrada en su recorte, no ha participado esta vez del regocijo general. La maestra hace una seña a* ELVIRA *para que regrese a su puesto. Se acerca a la figura, ya casi completada, y, mirándola, dice* [50]:

DOÑA LUCIA. Bueno, vamos a ver... Don José puede andar, puede oír, puede comer, pero todavía... todavía hay algo muy importante que no puede hacer...

Se vuelve. Mira a sus alumnas [51].

DOÑA LUCIA. A ver, ANA, que estás hoy muy callada... qué más le falta a don José... [52]

ANA *se turba un poco, como si la pregunta de la maestra la hubiera sacado de repente de sus pensamientos más íntimos. Se queda en suspenso, de pie, mirando la figura anatómica. Sus compañeras la observan también, tratando de descubrir la respuesta. Hay algunos cuchicheos.*

DOÑA LUCIA. Las demás, silencio. Que nadie diga nada [53].

ISABEL *también observa a «Don José». Y, agachándose, sopla a su hermana, que está delante.*

ISABEL. Los ojos...

ANA *se apresura a contestar:*

---

49 No existe referencia ni de ANA ni de ISABEL en este momento.

50 DOÑA LUCIA se sitúa detrás de DON JOSE. Con él en primer término, se dirige a las niñas: «Atended aquí. Don José puede andar, puede respirar, puede comer...; pero todavía... hay algo muy importante que no tiene...»

51 Aquí se oyen algunas respuestas de las niñas, ininteligibles. DOÑA LUCIA menea la cabeza, negando. Luego llama la atención de ANA, sonriendo.

52 En la película: «Ana, que estás muy callada. ¿Qué es lo que le falta todavía a don José?»

53 Eliminado en el rodaje.

ANA. Los ojos.

DOÑA LUCIA *se ha dado cuenta del soplo. Pero no demuestra demasiada severidad cuando reprende a* ISABEL:

DOÑA LUCIA.   Isabel, Isabel... Contesta cuando se te pregunte... [54]

Se advierte que las dos hermanas forman parte de sus alumnas predilectas. DOÑA LUCIA *invita a* ANA:

DOÑA LUCIA.   Anda, Ana, pon los ojos a don José... [55]

ANA *se acerca. Coge el cartón que representa los ojos. Aparecen unidos, en un solo bloque, como una especie de antifaz. Como, por su estatura, es imposible para ella colocarlos, es la misma* DOÑA LUCIA *quien, solícita, le acerca un taburete para que suba.* ANA *lo hace, colocando los ojos en su sitio. Por vez primera, «Don José» mira «de verdad» a las niñas. Y* ANA, *muy cerca de esa figura ambigua, se siente, más que ninguna, intensamente mirada.* ANA *se vuelve. Sus ojos tropiezan con los de su hermana.*

DOÑA LUCIA («off»).   Muy bien. Don José ya puede ver... [56]

Encadenado.

SEC. 12. ESCENA 1. POZO. *Ext. día* [57].

Una extensión de tierra llana, sin árboles, situada a las afueras del pueblo. El cielo está cubierto de nubes. Hace viento.

[54] En la película: «Silencio, Isabel... Contesta cuando se te pregunte...» Esta réplica de la maestra se produce inmediatamente después del «soplo» de ISABEL, antes de que ANA conteste.
[55] En la película: «Muy bien. Ven a ponérselos.»
[56] La secuencia acaba con un primer plano de la cara de DON JOSE.
[57] Esta secuencia se inicia en la película con una breve escena que no figura en el guión. Hay una vista general de una gran extensión de campo muy llano, tomada desde un pequeño montículo. Hace mucho viento. A lo lejos, la casa y el pozo. ANA e ISABEL contemplan el paisaje hablando entre sí, situadas de espaldas a la cámara.
ISABEL. ¿Ves aquella casa con un pozo?
ANA. ¿Vive allí?
ISABEL. Sí. ¿Quieres que vayamos?
ANA. Bueno...
Las dos echan a correr cuesta abajo. Una serie de fundidos encadenados nos van dando su recorrido por el campo, cada vez más a lo lejos, siempre en dirección a la casa y al pozo.

RUIDO DEL VIENTO.

En el centro de este paisaje, en estado semirruinoso, hay una casa muy pequeña [58]. *Junto a ella, un pozo de agua. Vemos este escenario desde lejos, a unos cien metros, aproximadamente, de distancia. Dándonos la espalda, aparecen* ANA *e* ISABEL, *surgiendo del eje de la cámara. Llevan en la mano sus respectivos cabases, lo que indica que vienen o van a la escuela. Se detienen.* ANA *parece seguir fielmente, en todo momento, como obedeciendo a un pacto previo, todas las indicaciones de su hermana. Las dos contemplan el pozo.*

ISABEL.   Ahí es.

ANA *mira atentamente.* ISABEL, *sin pausa, le entrega su cabás para que se lo guarde, y ordena.*

ISABEL.   Ten. Espérame aquí [59].

ISABEL *camina hacia el pozo. La cámara no se ha movido, permaneciendo siempre en el mismo lugar, inmóvil, acompañando a* ANA, *contemplando la acción desde su punto de vista. Allá, al fondo,* ISABEL *ha llegado al pozo. La vemos dar una vuelta a su alrededor, despacio; inclinarse después sobre el brocal, y permanecer así unos segundos.* ANA *observa todo detenidamente. El viento le da de frente. Quizá tiene frío* [50]. *Ya vuelve* ISABEL. *Camina ahora más rápido.* ANA *sale a su encuentro. Le entrega su cabás, a la vez que la interroga con la mirada. Su hermana, tomando su cabás, sin detenerse, dice:*

ISABEL.   Estaba durmiendo [61].

---

[58] En realidad, un corral de ovejas, un poco abandonado; con dos entradas frontales: una situada a la derecha del espectador y otra a la izquierda.

[59] ISABEL conserva su cabás. Dice algo —probablemente las palabras aquí previstas— al oído de su hermana, que no oímos.

[60] En la película, ISABEL, después de detenerse unos momentos junto al pozo, penetra en el corral. ANA, preocupada, da unos pasos hacia adelante, llamando tímidamente: «Isabel, Isabel...» Al poco, ISABEL sale. ANA corre a su encuentro. ISABEL le comunica algo, que tampoco podemos oír. ISABEL echa a andar rápida; ANA la sigue, no sin antes lanzar una mirada temerosa, casi fugaz, en dirección al pozo.

[61] Eliminado en el rodaje.

El viento agita sus vestidos[62]. Nos rebasan y salen de campo. Imposible saber si intercambiaron más palabras. En el encuadre ha desaparecido toda presencia humana. Allí, al fondo, queda el pozo abandonado, hermético, solitario.

Encadenado.

SEC. 13. ESCENA 1. POZO. Ext. día.

Un plano absolutamente idéntico al que cerró la secuencia anterior. La misma posición de cámara, ángulo, encuadre y objetivo. Y enfrente, el mismo paisaje: la llanura, la casa derruida, el pozo de agua. Un encadenado nos trae ante nosotros, de espaldas, la presencia de ANA, como llovida del cielo. Sus vestidos son diferentes, está sola, y no lleva su cabás en la mano[63]. ANA permanece parada unos segundos en esa especie de frontera imaginaria de los cien metros de distancia —los dominios, hasta ahora, de la cámara—, justo allí donde su hermana la hizo esperar. Echa a andar hacia el pozo, decidida. Vemos alejarse a ANA. Llegar a su destino, repetir los mismos actos que ISABEL realizara anteriormente. Siempre desde lejos, sin movernos. ANA se inclina sobre el brocal. Es entonces cuando, de repente, en medio de la soledad del campo, llega hasta nosotros un sonido extraño, sostenido. Es ANA, que grita al fondo del pozo.

ANA («off»). Aoooooo...

Como acudiendo a esta señal, la cámara da un salto enorme, atraviesa la frontera prohibida, y penetra incluso, violentamente, en el interior mismo del pozo, enfocando desde su oscuridad, rodeada de muro por todas partes, la boca: esa circunferencia abierta a la luz, sobre

---

62 Dos clásicos guardapolvos.
63 ANA lleva el mismo guardapolvos, e incluso el cabás; sólo sus medias de lana son distintas.

la que vemos inclinada, recortándose contra el cielo, la cabeza de ANA [64].

ANA. Aooooh...

Su grito, cargado de resonancia, resulta casi fantástico. ANA cesa en su llamada. La cámara sube al exterior. Vemos a ANA subida encima de una piedra, inclinada sobre el brocal, esperando. Bajo su mirada, el interior del pozo, hondo, impenetrable, esconde su secreto. Las paredes circulares de ladrillos, recubiertas de musgo, bajan verticalmente y se pierden en la oscuridad interior. No se llega a ver nada que evidencie que el pozo tenga un fondo, un final. ANA ha esperado inútilmente una respuesta. Se agacha. Coge una piedra. Se inclina otra vez sobre el brocal. Y deja caer la piedra en el interior. Una pausa. El sonido de la piedra al hundirse en el agua.

RUIDO DE LA PIEDRA AL ENTRAR EN CONTACTO CON EL AGUA.

ANA *abandona el pozo. Da unos pasos en dirección a la casa derruida. No parece asustada en absoluto. Ha realizado todas sus acciones con la espontaneidad de los niños, sin darle importancia. Se detiene. Observa las ruinas* [65].

VIENTO.

El sonido del viento. El viento que penetra a través del tejado desvencijado, entre las vigas, a través de los marcos de las ventanas destrozadas. Entre los escombros, una gorra, apergaminada y sucia, restos de loza... las huellas del paso de seres humanos. Estas imágenes de la desolación, del abandono, se diría que proporcionan a ANA un instintivo sentimiento de desamparo, de malestar. Algo que, aterida —hace mucho frío—, la hace acercarse de nuevo al pozo, observar sus alrededores con una mirada, en cierto modo, un poco distinta. Es en-

---

[64] Este plano no fue rodado.

[65] ANA se asoma al corral, sin atreverse a entrar. Su interior se halla vacío, sin rastro alguno de presencia humana.

tonces cuando, junto al brocal, sobre la tierra levemente humedecida, descubre la huella de un pie. ANA coloca su piececillo en el interior de la huella, despacio, con cuidado. La diferencia es enorme. Se diría que ese pie ausente pertenece a un gigante. ANA levanta la mirada, hasta descubrir nuevamente las ruinas. El viento silba con fuerza, al penetrar por los huecos de las ventanas, especie de cuencas vacías. ANA se vuelve un poco. Su pie sigue en el interior de la huella gigantesca. Casi se diría que nos mira, interrogándonos [66].

Fundido en negro.

SEC. 14. ESCENA 1. FRAGMENTO DE PARED. HABITACION DE LAS NIÑAS. *Int noche* [67].

La llama de una vela ardiendo. Un fragmento de pared blanca, desnuda, iluminada lateralmente por esa vela que permanece ahora fuera de nuestra vista. Unas manos de niña aparecen por la izquierda y reproducen en la pared una sombra chinesca: un gato. Por el lado dere- cho, otras manos, más pequeñas, de niña también, en- tran en campo y tratan de reproducir la sombra de un perro [68].

ISABEL («off»). Mamá preguntó por ti [69].

La sombra del gato se mueve.

ISABEL («off»). Dije que habías tenido que quedarte un rato en la escuela.

---

[66] En la película, ANA mira también a su alrededor. El campo aparece completamente solitario, recorrido por el viento. La secuencia termina con un primer plano de la huella del pie gigantesco.

[67] La escena presenta primero la imagen de un cuadro que cuelga en la habitación de las dos niñas. Un ángel tiene el brazo derecho levantado, señalando con el dedo índice algo en el cielo a un niño.

[68] Las sombras chinescas que las manos, muy nerviosas, de ANA e ISABEL tratan de reproducir en la pared resultan muy imprecisas; apenas logran concretar una figura.

[69] En la película: «Mamá ha preguntado por ti esta tarde. Quería saber dónde estabas. Yo le he dicho que te habías quedado en la escuela.»

Pausa. Las manos pequeñas, las de la derecha, desaparecen. Las manos más grandes empiezan a formar ahora la sombra de un pájaro.

ISABEL («off»).   ¿Le has visto? [70]

ISABEL («off»).   Claro. No te conoce.

En esos momentos se oyen unos pasos que se acercan. Las manos descomponen la sombra, desaparecen. La pared queda desnuda.

ISABEL («off»).   ¡Que viene papá...! [71]

La llama de la vela. Alguien sopla, nerviosamente, una, dos veces, hasta apagarla.

SEC. 15.   ESCENA 1.   BOSQUE. *Ext. día.*

Un bosque, no lejos del pueblo, en las primeras horas de la mañana. Luce un sol espléndido. El APICULTOR *ha salido a recoger setas. Le acompañan sus dos hijas, a las que guía a través de los árboles. De cuando en cuando, el grupo se detiene. El padre se agacha, y tras un meticuloso reconocimiento, hurga con una navaja la tierra, extrae la seta que brota del suelo, y la deposita en el interior de una cesta de mimbre que lleva colgada del brazo. Las niñas le ven hacer, mientras escuchan sus palabras. Luego, vuelven a ponerse en marcha. Así una y otra vez* [72].

---

70 Aquí el diálogo es como sigue, siempre en «off».
ISABEL («off»). ¿Has ido al pozo?
ANA («off»). Sí.
ISABEL («off»). ¿Le has visto?
ANA («off»). No.
ISABEL («off»). ¡Claro! No te conoce...
   71 En la película: «¡Que viene papá! ¡Que viene papá!»
   72 En la película, ANA grita: «Papá, aquí hay una...» El apicultor se acerca, coge la seta; luego, los tres continúan el paseo.

SEC. 15. ESCENA 2. BOSQUE. *Ext. día.*

Los bordes de un claro del bosque. ISABEL, *inclinada sobre la hierba, se vuelve un momento y llama a su padre que está fuera de campo.*

ISABEL.   Papá, papá... aquí hay una [73].

ANA *aparece. Se acerca a su hermana. Mira la seta que ha encontrado. Comenta:*

ANA.   Es mala...

ISABEL.   ¿Qué te apuestas a que es buena?

Se incorpora un poco. Vuelve a llamar [74].

ISABEL.   Papá...

APICULTOR («off»).   Ya voy...

ANA, *todavía inclinada, alarga la mano hacia la seta.*

ISABEL.   No la toques.

El APICULTOR *entra en campo. Se junta a sus dos hijas.*

ISABEL.   ¿Verdad que no es mala? [75]

El APICULTOR *hurga con la navaja alrededor del pie de la seta, removiendo la tierra, hasta extraerla.*

APICULTOR.   Sí, señor. Una buena seta.

La limpia un poco. Y la contempla colocándola a la altura de los ojos. ISABEL *a su hermana:*

ISABEL.   ¿Lo ves?

El padre pregunta:

APICULTOR.   ¿Quién de las dos sabe cómo se llama?

---

73 ISABEL está sola cuando dice: «Papá, aquí hay otra...»
74 Esta segunda llamada de ISABEL, y la contestación de su padre, no aparecen en la película.
75 En la película:
ISABEL (al apicultor). A que es buena...
FERNANDO. Vamos a ver...

ISABEL, *más rápida, enumera:*

ISABEL.   Palometa...

El padre niega con la cabeza, mientras rebusca en el interior de la cesta de mimbre.

ANA.   Matamoscas...

ANA *observa la acción del padre.*

APICULTOR.   Nooo. La matamoscas es venenosa...

Las dos niñas guardan ahora silencio, esperando. El padre saca de la cesta una seta similar a la que Isabel ha encontrado. Las pone frente a frente, una en cada mano, ofreciéndoselas a la contemplación de sus hijas[76]. ANA salta, rápida:

ANA.   ¡Níscalo![77]

El padre sonríe[78].

ISABEL («off»).   Níscalo... Lo tenía en la punta de la lengua...

El APICULTOR señala la seta con el dedo.

APICULTOR.   Se le conoce por el color rojo, veis, un poco amarillo, y estos bordes lisos...[79]

Están los tres arrodillados sobre la hierba. El padre saca un cigarro[80].

ISABEL.   ¿Tú has cogido setas malas alguna vez?[81]

El padre tiene una cerilla encendida en la mano. Mira a sus hijas y responde:

---

[76] FERNANDO, tras una pausa, añade: «Miradla bien.» Y, poco después, ante el silencio de sus hijas, las ayuda: «Or...»

[77] Son las dos niñas quienes contestan rápidas, al unísono: «¡Orejas!» Desaparece, por tanto, la intervención de ISABEL que iba a continuación.

[78] No lo hace. Sólo dice: «Muy bien...»

[79] En la película: «Se la conoce por el color pardo y estos bordes ondulados.»

[80] FERNANDO está sentado; ANA e ISABEL, de rodillas, frente a él. No fuma ningún cigarrillo en esta escena.

[81] En la película: «Papá, ¿tú has cogido alguna vez setas venenosas?»

APICULTOR.   Nunca.

Y acto seguido enciende un cigarro. Se produce así una pausa, que las niñas rellenan de espectación, la respuesta tajante del padre flotando todavía, contundente, en el aire. Al ver la expresión de sus hijas, el padre sonríe:

APICULTOR.   ¿Sabéis por qué?

Silencio expresivo.

APICULTOR.   Porque hago siempre lo que decía mi abuelo...

El APICULTOR *expulsa el humo.* ANA *e* ISABEL *le escuchan atentamente* [82].

APICULTOR.   «... Cuando no estés seguro de que una seta es buena, haz siempre una cosa: déjala, no la cojas. Porque si resulta que la coges, y es mala, y te la comes... Entonces se acabaron las setas y todo lo demás...» ¿Lo habéis entendido?

ANA *asiente con la cabeza* [83]. ISABEL *sonríe.*

APICULTOR.   A mi abuelo no le hacía mucha gracia comerlas. A él lo que le gustaba de verdad era buscarlas... Aunque tuviera que andar todo el día... Nunca se cansaba.

Una pausa. El padre alarga el brazo derecho y, con el dedo índice extendido, señala un punto, a lo lejos, en el paisaje.

APICULTOR.   ¿Veis aquel monte?

Las dos niñas giran sus cabezas en dirección al punto señalado. Se ponen de rodillas para ver mejor. Una montaña lejana [84].

APICULTOR.   Allí está el jardín de las setas, como él lo llamaba. Y ¿sabéis por qué?

Las niñas, atentas [85].

---

[82] FERNANDO se ha puesto en pie, y va andando. Sus dos hijas le siguen una a cada lado.
[83] ANA añade: «Yo, sí.»
[84] Se han detenido los tres. La montaña queda frente a ellos. No necesitan volverse para mirarla.
[85] ANA pregunta: «¿Por qué?»

APICULTOR. Porque allí crece la «Yema de huevo», la mejor de todas...

El nombre hace reír a ISABEL. *El* APICULTOR *también ríe. Los dos se ponen en pie. Sólo* ANA *permanece todavía en el suelo, mirando el horizonte. La montaña, lejana* [86].

ANA. ¿Por qué no vamos?

El APICULTOR *se vuelve.* ANA *se levanta, interrogándole con la mirada.*

APICULTOR. Está muy lejos. Y con vosotras, que sois tan flojas, no llegaríamos nunca...

Echan a andar los tres. El padre trata de mitigar un poco el desencanto que advierte en sus dos hijas, por su negativa anterior.

APICULTOR. Otro día iremos.

Probablemente hace una promesa que sabe que nunca cumplirá. Se para e, iniciando un tono de juego, dice en voz baja:

APICULTOR. Pero tenéis que prometerme una cosa...

Ha levantado una mano, para sellar este pacto [87].

APICULTOR. No decir nada a vuestra madre, ¿prometido?

El padre mira serio a sus dos hijas. Estas, desconcertadas, cruzan sus miradas, sin saber muy bien qué hacer. Luego miran al padre. ISABEL *empieza a levantar la mano. El* APICULTOR *interrumpe el juego. Ríe abiertamente, satisfecho de su propia comedia.*

COMIENZA MUSICA.

---

[86] No se producen risas. Vemos, sobre todo, una imagen de una montaña muy alta, distante, rodeada de una ligera niebla.

[87] El juego es distinto. FERNANDO se lleva el dedo índice a los labios, subrayando su petición de guardar entre los tres ese secreto: «No decir nada a vuestra madre.»

*Esta imagen suya, sonriendo en primer plano, con una
risa que deviene poco a poco, según se va apagando,
más débil y ambigua, encadena lentamente con...* [88]

Encadenado.

SEC. 15. ESCENA 3. CAMPO CON SETAS. *Ext. día* [89].

*Una seta, de singular aspecto, sugestiva, rara, ocupando
toda la pantalla. La voz del* APICULTOR *nos llega en «off»,
desde un punto no identificado, fuera de campo, de una
manera extraña, distante y al mismo tiempo íntima,
como en un susurro, una confidencia. Algo que se diría una reminiscencia surgida, de forma insólita, de
lo más hondo de un subconsciente infantil.*

APICULTOR («off»). Mirad lo que hay aquí: un auténtico demonio.

ANA («off»). ¡Qué bien huele!...

APICULTOR («off») [90]. Sí; cuando es joven, engaña. Pero de vieja ya
es otra cosa. Fijaos bien en ella, hijas. Fijaos en ese color ver-
de que tiene el sombrero. Fijaos en esas láminas amarillas y
blancas. Es la seta cicuta. No la olvidéis. Es la peor de
todas. La más venenosa. Al que la prueba, no hay quien le
salve; se muere sin remisión...

ISABEL *mirando la seta.* ANA *mirando la seta. La seta.
La bota del padre entra en campo y la aplasta.*

Encadenado.

---

88 La escena acaba con un plano de la montaña lejana.

89 En el guión, esta escena presenta todo el diálogo de FERNANDO en «off»; de él sólo
se percibía su bota. En la película no ocurre así, y alterna un plano de los tres
personajes juntos, con uno de ANA, otro de ISABEL y un inserto de la seta, que al final
es aplastada por la bota del apicultor.

90 FERNANDO se pone sus gafas mientras habla. Su diálogo ha quedado así: «Sí, cuando
es joven, engaña. Pero de vieja ya es otra cosa. Fijaos bien en ella. Fijaos en ese color
que tiene el sombrero, en esas láminas negras. No la olvidéis, hijas. Es la peor de
todas. La más venenosa. Al que la prueba, no hay quien lo salve. Se muere sin remisión.»

El rostro de ANA *fascinada, mirando.*

Lento fundido en negro [91].

FIN DE LA MUSICA.

SEC. 16. ESCENA 1. FACHADA DE LA CASA DEL APICULTOR. *Ext. día.*

Frente a la verja de entrada de la casa del apicultor, JOSE, *el encargado de la finca, tiene preparado para partir un tílburi tirado por una yegua cana. En la parte posterior del tílburi hay un barril de licor, un par de sacos, panales, cajones de colmenas* [92]. *El* APICULTOR *sale de la casa llevando en la mano una cartera de cuero. Va hurgando en los bolsillos de la chaqueta, tratando de encontrar algo que cree haber olvidado y no logra recordar. A veces se para. Un balcón se abre en el piso superior.* TERESA, *su mujer, aparece en bata, con un sombrero negro en la mano.*

TERESA. Fernando...

El APICULTOR *se vuelve. Levanta la cabeza y da unos pasos. Teresa deja caer el sombrero. El* APICULTOR *trata de cogerlo al aire, pero no lo consigue. Lo tiene que levantar del suelo. Hace un gesto de gracias hacia su mujer* [93], *y se lo encasqueta. Sube al tílburi y toma asiento.* JOSE *arrea a la caballería* [94].

JOSE. Arre, torda...

El coche se pierde carretera adelante.

Encadenado.

---

[91] Sobre un primer plano de la seta aplastada.

[92] La acción de esta escena comienza aquí, en realidad, con la salida de FERNANDO de la casa. El conductor del tílburi no es el encargado de la finca, sino un vecino del pueblo.

[93] Despidiéndose: «Hasta luego.»

[94] El conductor le saluda: «Buenos días, don Fernando.» «Buenos días.» «Parece que andamos un poco tarde...»

SEC. 16. ESCENA 2. HABITACION DE LAS NIÑAS. *Int. día.*

MUSICA ALEGRE, POPULAR.

ANA e ISABEL, *todavía en camisón, aparecen enzarzadas en una pelea muy divertida. Se persiguen por encima de las camas. Se tiran las almohadas. Siempre alegres, riendo, jugando. El ruido que arman es notable.*

SEC. 16. ESCENA 3. PASILLO Y HABITACIONES. *Int. día* [95].

CONTINUA MUSICA POPULAR Y ESCANDALO DE LAS NIÑAS «OFF».

MILAGROS, *escoba en mano, va atravesando, una tras otra, las habitaciones del primer piso, corriendo a pasos cortos. El escándalo que arman las niñas va en aumento.* MILAGROS *va hablando en voz alta, diciendo:*

MILAGROS. Ya está, ya está armada la república...

SEC. 16. ESCENA 4. HABITACION DE LAS NIÑAS. *Int. día.*

RISAS DE LAS NIÑAS.

La puerta de la habitación se abre, y entra MILAGROS.

MILAGROS. Pero ¡qué clase de escándalo es éste!

Las niñas no cesan, sin embargo, en su persecución. Es más, ANA *aprovecha la entrada de* MILAGROS *para parapetarse detrás de ella.* ISABEL *se queda con la almohada levantada, en suspenso, frente a la criada.* MILAGROS *da un golpe con la escoba en el suelo, a lo chamberlán de palacio, y grita* [96]:

---

[95] La escena se inicia en el interior del estudio del apicultor, donde MILAGROS está limpiando el polvo.
[96] En realidad, al entrar MILAGROS, las dos niñas interrumpen su juego y quedan de pie, encima de la cama. El diálogo es como sigue:
ISABEL (señalando a ANA). ¡Ha sido ella!
ANA. Eres una mentirosa...
MILAGROS. ¡Se acabó! Que hay que lavarse y hay que ir a la escuela...

MILAGROS. ¡Se acabó!

ISABEL *frunce el entrecejo, aprieta los labios y arroja la almohada encima de la cama.*

CONTINUA MUSICA ALEGRE, POPULAR.

SEC. 16. ESCENA 5. CUARTO DE BAÑO. *Int. día* [97].

CONTINUA MUSICA MUY ALEGRE.

MILAGROS *vigila ahora de cerca el aseo matutino de las niñas, en el cuarto de baño. El clima de fricción continúa.* ANA *acumula una cantidad enorme de pasta de dientes sobre las cerdas del cepillo, en plan de provocación.* ISABEL, *siempre en su papel de persona más mayor y distante, se moja la cara de una manera muy guasona y refinada, utilizando nada menos que la brocha de afeitar de su padre.* MILAGROS, *fuera de quicio, se la arrebata de las manos.*

MILAGROS. ¡Trae acá, Satanás!

SEC. 17. ESCENA 1. COCINA. *Int. día* [98].

CONTINUA MUSICA.

En la cocina, JOSE, *el marido de* MILAGROS, *está desayunando magras de jamón con tomate.* ISABEL, *de rodi-*

---

97 En la película esta escena ha sido sustituida por otra en la que ANA e ISABEL, de pie sobre un par de sillas, frente a un mueble antiguo, provisto de jofaina y espejo, situado junto a una ventana, juegan a afeitarse utilizando los bártulos del padre: jabón, brocha... ANA es la que parodia la operación, siguiendo en todo momento las indicaciones de ISABEL. El diálogo es el siguiente:
ISABEL. Primero se moja la brocha...
ANA. Ya está...
ISABEL. Luego se da jabón...
ANA. Ya está...
ISABEL. Luego se da por toda la cara.
ANA. Ya está...
ANA. ¿Y luego se quitan los pelitos?
ISABEL. Sí, y también se da un poquito de colonia.
98 Escena de la que sólo se rodó un plano, suprimido en el montaje.

llas sobre una silla, frente a él, coge un trozo de pan. Inclinándose sobre la mesa, pregunta:

ISABEL.   ¿Me dejas untar, José?

JOSE *hace una pausa, porrón de vino en la mano, y dice:*

JOSE.   Anda, anda...

ISABEL *unta el pan. Se lo come mientras* JOSE *empina el codo.* JOSE *acaba. Mira a la niña. Y le pasa el porrón.*

JOSE.   Toma, echa un trago...

ISABEL *bebe.*

SEC. 17. ESCENA 2.   RINCON DE LA CASA DEL APICULTOR.
Interior día[99].

Junto a una ventana, sentada en una silla, MILAGROS *está recogiendo el pelo de* ANA. *La niña permanece en pie, dándole la espalda. Sin volverse, pregunta:*

ANA.   ¿Tú sabes lo que es un espíritu?

MILAGROS, *que tiene una horquilla sujeta entre los labios, que la impide hablar, menea la cabeza y alza los ojos al cielo.* ANA *insiste:*

ANA.   Milagros...

---

[99] En esta secuencia hay un cambio fundamental. En vez de MILAGROS, es TERESA quien peina a ANA. Vemos la imagen, rodada en un solo plano, de las dos, reflejadas en un espejo (imposible de advertir, ya que se ha evitado cuidadosamente, en el encuadre, toda referencia). El diálogo es como sigue:
ANA. Mamá, ¿tú sabes lo que es un espíritu?
TERESA no contesta; tiene un par de horquillas entre los labios. ANA hace una pausa, y continúa, como en un juego.
ANA. Tú no lo sabes. Yo, sí...
TERESA, por fin, contesta:
TERESA. Un espíritu es un espíritu.
ANA. Pero ¿son buenos o malos?
TERESA coge a ANA por los hombros para hablarla muy cerca, casi al oído, en voz muy baja, como si comunicara una especie de secreto:
TERESA. Con las niñas buenas son buenos. Pero con las niñas malas son muy, muy malos...
TERESA. Pero tú vas a ser buena, ¿verdad?
TERESA. Dame un beso, ANA.
Es TERESA quien abraza y besa a su hija. Se separan un poco, se miran y sonríen.

La mujer se quita la horquilla de la boca para contestar:

MILAGROS.   ¡Dios bendito! Pero ¡qué preguntas hace esta criatura!...

ANA.   No lo sabes. Yo, sí...

MILAGROS, *colocando una cinta de terciopelo en los cabellos de la niña:*

MILAGROS.   Un espíritu es... ¡un espíritu!

ANA *mueve levemente el cuello, como si* MILAGROS *la hiciera cosquillas.*

MILAGROS.   Estate quieta...

ANA *vuelve al test.*

ANA.   ¿Y son buenos o malos?...

MILAGROS *termina de hacer el lazo, subrayando con ese gesto su respuesta:*

MILAGROS.   Con las niñas buenas son buenísimos... Con las malas, muy, muy malos...

Hace girar a la niña, para mirarla de cerca, cogiéndola de las manos.

MILAGROS.   Pero tú vas a ser buena, ¿verdad?

ANA *sonríe y no dice nada.*

MILAGROS.   Dame un beso...

ANA *besa a* MILAGROS.

MILAGROS.   Anda, di a Isabel que se dé prisa, que vais a llegar tarde a la escuela...

Encadenado [100].

---

[100] Aquí aparece intercalado un plano de ANA e ISABEL, que corren por la casa, pasillo adelante, de habitación en habitación, abriendo todas las puertas que van encontrando a su paso.

SEC. 18. ESCENA 1. VIAS DEL TREN. *Ext. día.*

Las vías del tren situadas en las afueras del pueblo, en medio del campo, cerca de un terraplén. ISABEL *está agachada en el suelo, el oído pegado a uno de los rieles de la vía férrea. A su lado, de pie, el cabás escolar en la mano,* ANA *tiene la mirada fija en el horizonte. De pronto,* ISABEL *murmura:*

ISABEL.   Ya viene..., ya viene...

ANA *trata de encontrar el tren con la mirada, inútilmente. Por eso se agacha, imitando a su hermana, y pega la cabecita al riel metálico.*

RUMOR SORDO, FANTASTICO, DEL RIEL, QUE VIBRA BAJO EL IMPULSO DE UNA FUERZA LEJANA.

El rostro de ANA *se ilumina.*

PITIDO DEL TREN EN «OFF».

ISABEL *levanta la vista, al oír el silbido del tren. Se pone en pie casi de un salto, señalando con el dedo a un punto del paisaje, justo donde una nube de humo negro, móvil, ya compacta, está surgiendo entre dos montículos.*

ISABEL.   ¡Míralo! [101].

ANA *se pone en pie. La locomotora del tren sale de una curva, enfilando la recta. Avanza con rapidez, arrastrando al resto del convoy.*

SILBIDO MAS CERCANO DE LA LOCOMOTORA.

ISABEL *se aparta apresuradamente de las vías. Su hermana, casi sugestionada, se ha quedado parada en el mismo sitio.* ISABEL *grita:*

ISABEL.   ¡Ana!

ANA *sale de su ensimismamiento y se une corriendo a su hermana. Las dos niñas contemplan el paso del tren.* ANA *agita la mano diciendo adiós* [102]. *La locomotora, tres vagones y el furgón de cola desfilan ante sus ojos,*

---

101 Eliminado en el rodaje.
102 Este gesto de ANA ha sido suprimido.

para ir después desapareciendo poco a poco en la lejanía.

Encadenado.

SEC. 19. ESCENA 1. FACHADA DE LA ESCUELA DEL PUEBLO. *Ext. día.*

La entrada de la escuela. No hay nadie. Todas las niñas han debido ya entrar en clase. ANA e ISABEL *llegan a la carrera. Abren la puerta y penetran en el interior.*

Lento fundido en negro.

SEC. 19. ESCENA 2. AULA DE LAS NIÑAS. ESCUELA PUEBLO. *Int. día.*

Una niña, una de las mayores, de pie, en medio de la clase, tiene un libro en la mano. En la portada, un título: El libro de las niñas *(Textos Escolares Salvatella, Barcelona, 1942)* [103]. *La niña lee en voz alta, para el resto de sus compañeras, el siguiente poema de Rosalía de Castro, que figura al pie de un dibujo. El dibujo representa a una niña con la espalda apoyada en el tronco de un árbol, el pelo suelto, rodeada de palomas que vienen a posarse de cuando en cuando en su mano* [104].

NIÑA. «Ya ni rencor ni desprecio;
ya ni temor de mudanza;
tan sólo sed…, una sed
de un no sé qué que me mata.
Ríos de vida, ¿do vais?»

Lento fundido encadenado.

---

[103] El poema de Rosalía de Castro es leído íntegramente dentro de esta escena, siguiendo en todo momento la versión castellana que ese libro escolar citado ofrece del original en gallego.

[104] En la película no existe detalle del dibujo. Se nos muestran además varios planos no previstos en el guión: de ANA, que parece ir deletreando el texto del poema para sí misma; de ISABEL, a la que no vemos la expresión; de DOÑA LUCIA, la maestra abstraída; de la niña que lee en voz alta, y que, al final, mira directamente a la cámara.

SEC. 19. ESCENA 3. POZO Y ALREDEDORES. *Ext. día* [105].

Mientras continúa en «off» la lectura de la niña en la escuela, contemplamos, desde esa frontera clave de los cien metros de distancia, cómo ANA *se mueve alrededor del pozo.* ANA *se detiene, dirige la vista hacia un punto cercano por encima de su cabeza, habla, ríe, corre, gira, siempre jugando, como si algo o alguien, invisible para nosotros, marchara a su lado, jugando. Es* ISABEL *la que contempla, desde lejos, la escena. Está allí, casi escondida, observando el juego de su hermana sin poder participar del mismo, mirando sin ver.*

NIÑA («off»). «¡Aire!, que el aire me falta.
¿Qué ves en el fondo oscuro?
¿Qué ves, que tiemblas y callas?
¡No veo! Miro cual mira
un ciego al sol cara a cara.
¡Yo voy a caer en donde
nunca el que cae se levanta!»

FIN DE LA LECTURA.

Fundido en negro.

SEC. 20. ESCENA 1. SALA DE LA CASA DEL APICULTOR. *Interior día.*

PIANO EN «OFF»: DO, RE, MI, FA, SOL, SOL, SOL...

Un gato, debajo de una mesa, acecha una presa que no vemos. En «off» escuchamos las notas intermitentes, suspendidas, de un piano. El gato levanta las orejas, se pone tenso y desaparece de nuestra vista. Junto a la ventana, en un ángulo de la sala, sentada frente al piano, está la mujer del APICULTOR. *Comienza a tocar de una manera bastante rudimentaria, casi infantil, buscando las notas lentamente, «El zorongo gitano»* [106].

---

105 De aquí ha desaparecido el fragmento de poema previsto.
106 Sólo se ven unas manos de mujer que tocan el piano.

PIANO.

Encadenado.

SEC. 20. ESCENA 2. ESTUDIO DEL APICULTOR. *Int. día.*

MUSICA TORPE DE PIANO; «ZORONGO GITANO».

Una fotografía ocupa toda la pantalla [107]. *Es la de un nu-
trido grupo de jóvenes, ataviados al estilo de los años
veinte, rodeando a su profesor, a la entrada de Sala-
manca.* ANA *se halla en el estudio de su padre, tumbada en el suelo, mirando un álbum de fotos. La imagen
del profesor; se trata de una figura conocida: don Miguel de Unamuno. La imagen de un joven, cuyo rostro
aparece enmarcado por un círculo de tinta morada. Reconocemos en él los rasgos del apicultor. Más fotogra-
fías de la época, especialmente del padre y de la madre,
cuando eran jóvenes, antes incluso de conocerse. Una
foto de* TERESA, *veinteañera, con una dedicatoria escri-
ta con esa letra elegante, cuidadosa, que ya conocemos.
Dice así:*

TEXTO DE LA DEDICATORIA. «A mi querido misántropo, de su Teresa...»

ANA, *en voz baja, deletrea:*

ANA. Mi-sán-tro-po...

*En el piso de abajo las notas del piano se han extin-
guido* [108].

[107] Esta foto no aparece en primer lugar, sino más tarde, y además con otro contenido; en ella, UNAMUNO y FERNANDO figuran dentro de un grupo compuesto solamente por
cuatro o cinco personas. Vemos, sobre todo, fotos de TERESA y FERNANDO. De TERESA niña,
en la escuela, sentada en un pupitre, con un mapa de España al fondo; por la misma
época, en compañía de un chico —un amigo, un hermano— que usa gafas; de joven-
cita... De FERNANDO, en solitario siempre, con un aire frágil, bastantes años atrás... Finalmente, la foto con la dedicatoria: una imagen de TERESA joven, en un exterior, al sol, en
primer plano, los ojos semicerrados y una sonrisa en los labios.
[108] En la película no es así. Vemos, de nuevo, las manos de mujer que reanudan la
melodía. Luego, a TERESA, que acaba de tocar, cierra el piano y abandona la habitación.

A mi querido "mi intuji"
teresa

EL ZUMBIDO DE UNA CADENA DE BICICLETA GIRANDO RAPIDAMENTE EN LOS PIÑONES DEL PLATO.

Encadenado.

SEC. 20. ESCENA 3. CARRETERA ENTRE ARBOLES. *Exterior día.*

PIÑONES GIRANDO EN EL PLATO DE UNA BICICLETA.

Los piñones de una bicicleta girando en el plato, vertiginosamente. La rueda que gira. TERESA, *montando en su bicicleta, marcha velozmente, carretera abajo, entre los árboles, a la caída de la tarde, hacia la estación* [109].

VA FUNDIENDO CON EL ZUMBIDO DE UN ENJAMBRE DE ABEJAS EN SU COLMENA.

Encadenado.

SEC. 20. ESCENA 4. ESTUDIO. COLMENA DE OBSERVACION. *Interior día.*

ZUMBIDO DE ABEJAS EN EL INTERIOR DE LA COLMENA DE OBSERVACION.

En el interior del estudio de su padre, ANA *contempla la actividad del enjambre a través de las paredes de cristal de la colmena de observación* [110].

Fundido en negro.

SEC. 21. ESCENA 1. HABITACION DE LAS NIÑAS. *Int. día.*

MAULLIDOS DE GATO.

---

[109] En este momento se reproduce exactamente el plano con el que acababa la escena 1 de la secuencia número 5 (ver nota 6).

[110] ANA, además, observa y toca ligeramente el conducto de tela metálica a través del cual las abejas salen al exterior.

La cara de un gato, que alza los ojos y maúlla [111]. *En el interior de la habitación, en penumbra,* ISABEL *está tumbada sobre la cama, semiadormilada. A su lado, abierto, un tebeo. Se oyen en «off» uno, dos maullidos.* ISABEL *se da la vuelta, se pone boca abajo, dejando colgar la mitad del cuerpo al borde del lecho. Cuando vuelve a su posición primitiva, tiene el gato en su poder.*

ISABEL. Qué haces tú por aquí, ¿eh? [112]

Le ha hecho la pregunta a modo de saludo, en voz baja. Al mismo tiempo, le acaricia la garganta. El gato acepta el juego alegremente. Simula morderla en los nudillos, se agarra a su brazo con las patas, etc. ISABEL *le provoca, tirándole a veces de las orejas. El juego se convierte así en una especie de pelea medio en broma medio en serio.* ISABEL *logra inmovilizar al animal. Este se resiste, no obstante. Las manos de la niña están llenas de líneas blancas, caricaturas de arañazos.* ISABEL *agarra al gato por el cuello. Va apretando poco a poco, como si comprobara el efecto, los dedos de su mano derecha alrededor de la garganta. El gato se debate. Su cara adquiere una expresión de sofoco. El gato cierra y abre los ojos. Falto de respiración, comienza a sacar la lengua.* ISABEL *parece volver en sí de repente. Es de nuevo el personaje que inició el juego de una manera inocente. Acaricia al animal, como consolándole del daño sufrido a manos de ese ser extraño, que ya se ha ido y que nada parece tener que ver con ella* [113]. *Es como si hubiera necesitado excitar así su propia capacidad de compasión. El gato se calma. Acepta. Sin embargo, de inmediato,* ISABEL, *todavía no satisfecha, vuelve a recomenzar el mismo juego. Aprieta nuevamente el cerco de su mano alrededor del cuello del animal. Este se rebela. En esta ocasión con más rapidez y vio-*

---

111 El gato surge andando por debajo de la cama, maullando; al fondo se distingue la puerta de la habitación, un poco entreabierta.

112 En la película, ISABEL pronuncia por dos veces el nombre del animal: «Misiger, Misiger...»

113 Y pregunta, en voz muy baja, al gato: «¿Qué te pasa?»

lencia. Su zarpa se mueve vertiginosamente y araña a ISABEL, *con fuerza, en la mano. La niña suelta al bicho inmediatamente, lanzando una exclamación de dolor. El gato sale disparado de la habitación.* ISABEL *contempla cómo la sangre fluye de la herida. Al principio es una gota pequeña que, poco a poco, se va agrandando hasta formar un hilo que corre hacia la palma de la mano.* ISABEL *lleva la herida a los labios, tratando de cortar la leve hemorragia. Vuelve a mirar el fluir de la sangre. Levanta la mirada. Sus ojos se descubren en un espejo cercano* [114].

Encadenado.

SEC. 22. ESCENA 1.   ESTUDIO DEL APICULTOR.   *Int. día.*

ANA *está sentada en el sillón favorito de su padre, el que utiliza para leer o escuchar la radio. Precisamente esto último es lo que hace la niña en este momento. Tiene puestos los auriculares de la radio galena y manipula el dial de sintonización. Abajo, en el exterior, el perro ladra sin parar* [115].

LADRIDOS DE PERRO EN «OFF».

De pronto, de otro punto no lejano de la casa llega el ruido de algo que cae al suelo y se rompe. A continuación, inmediatamente, uno, dos gritos.

UNO, DOS GRITOS DE ISABEL EN «OFF».

ANA *se quita los auriculares* [116]. *Va hasta la puerta de la habitación. La abre con cuidado. Se asoma al pasillo. Llama* [117]:

---

114 Se trata de un espejito que forma parte de una cómoda de tamaño diminuto, reproducida en madera; un típico juguete de niña. ISABEL descubre en el espejito su boca; en un gesto instintivo, lentamente, se pasa el dedo ensangrentado por los labios. Luego, se contempla a sí misma.

115 ANA está sentada frente a la mesa de trabajo de su padre, escribiendo a máquina.

116 ANA deja de escribir y desciende del sillón.

117 Esta llamada la hace ANA un poco más tarde, tras salir del estudio del apicultor, mientras va andando lentamente por un pasillo.

ANA. ¡Isabel!

> *No obtiene ninguna respuesta. Escucha. El perro ladra cerca, en la huerta seguramente.*

LADRIDOS DE PERRO EN «OFF».

> ANA *sale del estudio.*

SEC. 22. ESCENA 2. HABITACION DE LAS NIÑAS. *Int. día.*

> *Junto al balcón abierto, cuyas cortinas hace oscilar el viento, caída en el suelo, los ojos en blanco, encogida sobre sí misma, en una postura grotesca, forzada, está* ISABEL. *Una maceta aparece rota en el umbral del balcón; la tierra, desparramada por la alfombra; los tallos de la planta, truncados* [118].

LADRIDOS DE PERRO EN «OFF».

> *La puerta de la habitación se abre con cautela* [119]. *Es* ANA. *Descubre el cuerpo derrumbado de su hermana.* ANA *se arrodilla junto a ella, con una media sonrisa en los labios.* ISABEL *está rígida, como muerta.* ANA *la agita un poco.*

ANA. Anda, levántate. No seas boba [120].

> ISABEL *no reacciona.* ANA *coge uno de sus brazos y lo levanta, sosteniéndolo un instante. Luego, lo suelta. El brazo cae como un peso muerto.* ANA *agarra a su hermana por los hombros y trata de incorporarla. Le es difícil hacerlo. Sólo lo consigue a medias y con gran trabajo. Así que, en determinado momento, decide interrumpir su acción y poner a prueba, una vez más, a* ISABEL. *La suelta. El tronco y la cabeza de* ISABEL *se derrumban, como si pertenecieran a una muñeca de trapo, a los pies de* ANA. *Es entonces cuando ésta des-*

---

118 Todos estos detalles los percibimos más adelante, a través de la mirada de ANA.
119 Es aquí donde empieza la escena.
120 En la película: «Isabel, anda, levántate. No seas boba.»

cubre en la nuca de su hermana dos líneas rojas, como una especie de arañazos. Intrigada, toca las manchas con los dedos. Un poco de sangre, algo reseca, se pega a la yema de los dedos [121]. Los frota varias veces, como para convencerse a sí misma de lo que ve. Mira a la ventana. Silencio. Sólo el viento, agitando las cortinas. ANA *se levanta y se asoma al balcón [122]. La huerta está desierta. No se ve a nadie. Ni siquiera al perro.* ANA *cierra el balcón. Su hermana continúa en la misma postura de muñeca descoyuntada.* ANA *vuelve a arrodillarse a su lado. La habla bajito, al oído, como si estuviera ya muy lejos y no pudiera casi escucharla.*

ANA.   Ya no está. Se ha ido...

Pero ISABEL *no reacciona.*

ANA.   Isabel...

ANA *tira de los carrillos de su hermana, provocándola, haciéndola algo de daño seguramente, exasperada. Su desconcierto y su temor aumentan ante este nuevo fracaso. Busca con su oído derecho el corazón de su hermana, al mismo tiempo que espía sus párpados cerrados, tratando de adivinar en ambos un movimiento. No parece sacar nada en limpio.* ANA *está conmovida. Arregla los cabellos de* ISABEL *peinándola con la mano.*

ANA.   Isabel, dime... ¿Qué te ha pasado?

No puede seguir. Esta pregunta, en el fondo, va dirigida a sí misma. No sabemos si, simultáneamente, lo que trata es de mover a compasión a ISABEL. *Se diría que está a punto de echarse a llorar. Pero, sobreponiéndose, se levanta una vez más. Sale de la habitación, cerrando la puerta tras sí, cuidadosamente. No oímos sus pasos alejarse. Nos quedamos en el interior de la habitación, acompañando a* ISABEL, *tratando de asistir qui-*

---

121 Esta acción de ANA no se percibe.
122 En el trayecto, sin darse cuenta, ANA pisa los restos de la maceta rota. No existe ningún inserto de lo que ANA ve a través del balcón.

zás al descubrimiento de la comedia, a la revelación del engaño. Pero éste no se produce. ISABEL permanece completamente inmóvil. Pasan unos segundos. La puerta vuelve a abrirse de un solo golpe, como buscando un efecto de sorpresa. La cabeza de ANA asoma en el quicio. Mira a su hermana. Comprueba que todo sigue igual. ANA se da la vuelta y desaparece. Oímos sus pasos al correr pasillo adelante, mientras llama [123]:

ANA.   ¡Milagros!

SEC. 22. ESCENA 3.   PARTE TRASERA DE LA CASA DEL APICULTOR.   *Ext. día.*

ANA *se asoma a la huerta* [124]. *Allí, alguien ha formado con los abrojos, malas hierbas y espinos del sembrado una pira. No se ve a nadie.* ANA *llama:*

ANA.   ¡Milagros!

Nadie contesta. ANA *vuelve a entrar en la casa.*

SEC. 22. ESCENA 4.   COCINA.   *Int. día* [125].

En la cocina tampoco hay nadie. Un grifo gotea.

GRIFO QUE GOTEA.

Al entrar ANA, *se oye un leve cacareo.*

GALLINA CACAREANDO.

De un rincón, asustada, sale una gallina. A pesar de tener las patas atadas, logra moverse dando una especie de saltos grotescos. La gallina cruza así la cocina, tratando de refugiarse, ante la presencia de ANA, *debajo de la mesa.* ANA *coge un cuchillo. Se agacha. Se*

---

[123] Aquí sigue un plano de ANA, que sale al corredor que da al patio de la casa.
[124] ANA no llega a pisar la huerta. Permanece en el patio. No descubrimos lo que ella ve en ningún momento.
[125] Escena no rodada.

apodera del animal. Corta la cuerda que sujeta sus pa-
tas. Al hacerlo, vemos que está a punto de llorar.

SEC. 22. ESCENA 5. PASILLO. *Int. día.*

ANA *avanza por un pasillo. Oye un ruido. Una puerta*
se abre y cierra, con violencia, en algún sitio, como
impulsada por una fuerte corriente de aire. ANA *va ha-*
cia su habitación. Abre la puerta.

SEC. 22. ESCENA 6. HABITACION DE LAS NIÑAS. *Interior día.*

ANA *se asoma al interior de la habitación.* ISABEL *ha*
desaparecido. El balcón, a diferencia de la última vez,
se halla abierto de par en par. El viento hace chocar las
persianas contra la pared. ANA *se dirige al balcón para*
cerrarlo. De detrás de la puerta, a espaldas de la niña,
sale alguien. Una chaqueta de pana, de hombre, en un
cuerpo de niña. Unos guantes de apicultor agigantando
unas manos. ISABEL *avanza erguida sobre las puntas de*
los pies, oscilando ligeramente, imitando los pesados y
torpes andares de un monstruo. Alarga sus brazos, su-
mergidos en las enormes mangas de la chaqueta mascu-
lina, y rodea con ellos el cuerpo de su hermana. ANA
desprevenida da un grito de terror [126].

GRITO DE ANA.

SEC. 22. ESCENA 7. FACHADA POSTERIOR DE LA CASA DEL APICULTOR. *Ext. día* [127].

Por la puerta de entrada posterior de la casa, que da
a la huerta, vemos aparecer a MILAGROS. *Se oye un*
grito de ANA.

[126] En la película, ANA siente que alguien, a sus espaldas, se acerca lentamente; pero ella no se mueve. Al descubrir que se trata de ISABEL, tras el susto, llora. ISABEL, quitándose los guantes de su padre, ríe nerviosamente, sin saber muy bien qué hacer.
[127] Escena rodada, pero que fue eliminada en el montaje.

GRITO DE ANA EN «OFF».

MILAGROS *corre hacia la casa.*

Fundido en negro.

SEC. 23. ESCENA 1. HUERTA. *Ext. atardecer.*

Atardecer. En la huerta, JOSE *está prendiendo fuego al montón de rastrojos.*

CHISPORROTEO DEL FUEGO.

Un grupo de niñas [128], entre las que se halla ISABEL, *reunidas a su alrededor, contemplan cómo la llama crece.*

SEC. 23. ESCENA 2. TERRADO. PARTE POSTERIOR DE LA CASA. *Ext. atardecer.*

RISAS Y GRITOS DE NIÑAS QUE JUEGAN.

Desde un terrado que hay en la parte posterior de la casa del APICULTOR, ANA *contempla la escena. Las* NIÑAS *juegan alrededor de la hoguera. Se diría una noche de San Juan improvisada.* ANA *sale del terrado para bajar a la huerta.*

NIÑAS. Ahora, tú... Uno, dos y tres... Cuidado... Ahora me toca a mí... [129]

SEC. 23. ESCENA 3. HUERTA. *Ext. atardecer.*

RISAS Y GRITOS DE NIÑAS EN «OFF».

ANA *avanza por la huerta, hacia la fogata. Se para a una cierta distancia [130].* ISABEL *aparece excitada, sudorosa,*

---

[128] Son compañeras de escuela de ANA e ISABEL.

[129] Las frases de las niñas son confusas; sólo se distinguen algunas: «Isabel, ten cuidado, te vas a quemar.» «Cuidado.»

[130] ANA se sienta encima de unas colmenas en desuso, que se encuentran amontonadas en un rincón de la huerta.

a causa del calor que despide la fogata. Imitando a sus compañeras, toma carrerilla y salta por encima de las llamas. Así, una y otra vez. ANA *observa todo sin participar. Observa los saltos de su hermana, que parece muy excitada por el fuego. Algunas niñas cantan a intervalos una canción. Se trata de una copla que suele cantarse la noche de San Juan* [131]. *Pero se diría que* ANA *no oye nada. Poco a poco, todo sonido real desaparece.*

VA DESAPARECIENDO SONIDO REAL.

ANA, *ensimismada.*

ENTRA MUSICA.

Las lenguas de fuego, moviéndose incansables, se alargan en la noche, hacia el cielo. Las niñas que juegan alrededor de la fogata son ahora una serie de sombras que se reflejan en los muros de la casa [132].

Encadenado.

SEC. 23. ESCENA 4. CARRETERA EN AFUERAS PUEBLO.
Exterior atardecer [133].

NINGUN SONIDO REAL. CONTINUA LA MISMA MUSICA.

El tílburi del APICULTOR *regresa por la carretera, despacio, en el atardecer. Ya se divisan las primeras casas del pueblo.*

Encadenado.

SEC. 23. ESCENA 5. CALLE DEL PUEBLO. *Ext. atardecer.*

SONIDO DE CADENA DE BICICLETA GIRANDO.

La cadena de una bicicleta girando en el plato, vertiginosamente. La mujer del APICULTOR *marcha en bici por*

---

[131] No cantan ninguna copla.
[132] La escena finaliza con un plano de ISABEL filmado al ralentí, en contraluz, saltando por encima del fuego. La imagen se congela.
[133] Escena no rodada.

una calle del pueblo. La bici lleva su farol encendido. Una sombra cruza. TERESA *hace funcionar el timbre.*

TIMBRE DE BICICLETA.

Encadenado.

SEC. 23. ESCENA 6. HUERTA. FOGATA. *Ext. noche.*

VA FINALIZANDO LA MUSICA.

La hoguera es ahora un montón de cenizas, lleno de ascuas. Alguna rama pequeña arde todavía, con una llama insignificante, que va agonizando paulatinamente. Ya no se oye ningún canto. Todas las niñas, salvo ANA, *han desaparecido.* ANA *está sola, sentada en el suelo, contemplando los rescoldos. El perro ladra alegremente al otro lado de la casa* [134].

LADRIDO DE PERRO EN «OFF».

Se oye una voz, la de MILAGROS, *que llama acercándose:*

MILAGROS («off»). Ana, Ana...

MILAGROS *aparece en el círculo de luz que proporcionan los restos de la fogata. Se inclina sobre la niña* [135].

MILAGROS. ¿Qué haces aquí, criatura? Anda, ven conmigo, que tu padre ha vuelto.

ANA *se levanta. Y en silencio sigue a* MILAGROS. *Desaparecen las dos en la oscuridad. Las brasas.*

Fundido en negro.

---

[134] No hay ningún ladrido de perro.
[135] MILAGROS, muy persuasiva, cariñosa, hace especial hincapié en la noticia del regreso del apicultor, ayudando a ANA a levantarse del suelo, mientras dice exactamente: «Ana, ¿qué haces aquí, criatura? Anda, vente conmigo. Vamos a casa. Tu padre ha vuelto. Anda, ven, vamos...»

SEC. 24. ESCENA 1. FACHADA DE LA CASA DEL APICUL-
TOR. *Ext. noche* [136].

> *La fachada de la casa del* APICULTOR. *En la ventana del
> estudio, la luz de un quinqué se enciende. La noche es
> muy limpia, estrellada. Hay luna llena.*
>
> *Encadenado.*

SEC. 24. ESCENA 2. HABITACION DE LAS NIÑAS. *Interior noche.*

> *La luz de la luna penetra por la ventana, iluminando
> la habitación de las niñas. Mientras* ISABEL *duerme pro-
> fundamente,* ANA *termina de vestirse en silencio. Se cal-
> za* [137]. *Coge una pequeña manta y sale de la habitación.*

SEC. 24. ESCENA 3. CORREDOR. CASA DEL APICULTOR.
Exterior noche.

> *El corredor que da al patio de la casa está desierto.
> La yedra cubre las paredes, trepando incluso por los
> pilares de piedra que sostienen los techos. El viento
> hace oscilar las hojas.* ANA *avanza por el corredor ilu-
> minado por la luna. Se detiene un momento y se en-
> vuelve en la manta. Después, baja unas escaleras, hacia
> la huerta.*

SEC. 24. ESCENA 4. HUERTA. RESTOS DE LA FOGATA. *Exterior noche.*

> *En la huerta* [138], *los rescoldos de la hoguera no se han
> apagado del todo. Brillan las brasas.* ANA *se sienta en*

---

136 Escena no rodada.
137 La acción de ANA al atarse las botas es recogida de una forma bastante detenida
por la cámara. ANA se echa una capa por encima del camisón.
138 En realidad, el patio de la casa, que da a la huerta. Esta última no llega a verse,
y, por tanto, tampoco los restos de la hoguera.

el suelo, junto a ellas, envuelta en su manta. Contempla los rescoldos. Escucha los sonidos del campo. Un ave nocturna emite un extraño gorjeo. Un ladrido lejano, casi un lamento.

RUIDOS NOCTURNOS DEL CAMPO.

ANA contempla la sombra maciza de la casa de sus padres. El ojo iluminado de la ventana del estudio del APICULTOR. En su interior, recortándose contra el techo, ANA cree intuir una sombra móvil; la sombra del padre [139]. Levanta los ojos. Arriba, en el cielo, una luna grande, brillante [140]. A lo lejos, rompiendo bruscamente el silencio de la noche, el ruido de un tren. Luego, un pitido.

SILBIDO DE TREN LEJANO.

Encadenado.

SEC. 25. ESCENA 1. TRAVELLING SOBRE VIAS DE TREN. Ext. amanecer.

Viene de encadenado.

CONTINUA SILBIDO DE TREN, RUIDO CRECIENTE DE LOCOMOTORA.

El rostro de ANA se va desvaneciendo para dar paso a una imagen de las vías del tren, deslizándose hacia nosotros, velozmente, en las primeras luces del amanecer.

SEC. 25. ESCENA 2. CAMPO JUNTO A VIAS DE TREN. Exterior amanecer.

RUIDO CRECIENTE DE TREN. LARGO, INTENSO PITIDO.

Un tren avanzando rápidamente. Lo contemplamos desde el fondo de un terraplén, pasando sobre nuestras ca-

---

[139] Este inserto no fue rodado.
[140] ANA, mirando a la luna, cierra lentamente los ojos. Permanece recogida en esa actitud a lo largo de todo el encadenado que sigue a continuación.

bezas. De pronto, de uno de los últimos vagones, lanzan un bulto. Inmediatamente, un hombre se lanza al vacío. Cae rodando por el terraplén.

EL TREN ALEJANDOSE.

El hombre se levanta con trabajo. Es alto, bastante corpulento [141]. *En su caída ha quedado bastante maltrecho. Sangre. Cojea. Recoge el bulto que lanzó desde el tren. Es un macuto. Mira a su alrededor, tratando de orientarse. A lo lejos, el pueblo* [142]. *El hombre echa a andar, cojeando ostensiblemente. Al fondo, una casa en ruinas, un pozo.*

Fundido en negro.

SEC. 26. ESCENA 1. HABITACION DE LAS NIÑAS. *Interior noche.*

ANA *abre la puerta de la habitación, sin guardar sigilo alguno, y entra. Se sienta en la cama, se quita los zapatos y los deja caer en el suelo.* ISABEL *abre los ojos. Contempla a su hermana sin comprender todavía muy bien lo que pasa.* ANA *parece ignorarla. Se mete en la cama, dando la espalda a* ISABEL [143]. ISABEL *se decide a preguntar, vencida por la curiosidad.*

ISABEL.   ¿Dónde has estado?

ANA *no contesta.*

ISABEL.   Ana...

Sin volverse, ANA *responde* [144]:

---

141 Físicamente, el fugitivo es distinto, más bien frágil. Lleva un largo abrigo de color pardo, que, unido al macuto, le proporciona un vago aire militar.

142 No se ve pueblo alguno. El fugitivo, que lleva barba de varios días, sube el terraplén que conduce a la vía férrea, la atraviesa, deteniéndose un momento para contemplar al tren, que se aleja; luego, desciende al otro lado, perdiéndose en un maizal.

143 ANA no da la espalda a su hermana todavía.

144 ANA no dice una sola palabra. Es aquí donde se revuelve dando la espalda a ISABEL. Se empieza a oír el rumor de un viento lejano.

ANA.   ¿Qué?...

ISABEL *pregunta de nuevo:*

ISABEL.   ¿Dónde has estado?

ANA *no responde.*

Encadenado.

ANA, *los ojos cerrados, parece dormir.*

Encadenado.

SEC. 27. ESCENA 1.   CASA ABANDONADA.   *Int. día.*

Viene de encadenado [145].

En la penumbra de un rincón, en el interior de la casa abandonada junto al pozo, un hombre duerme. A su lado, un macuto. Es, sin duda, el desconocido que vimos tirarse del tren. Su aspecto general es bastante lastimoso. Las ropas, polvorientas; magulladuras, una pierna inmovilizada. Su frente está rodeada por una ancha tira de tela blanca —un trozo de una camisa—, donde hay un rastro de sangre. Un ruido de pasos que se acercan.

RUIDO DE PASOS EN «OFF».

Como movido por un resorte, el hombre abre los ojos, se incorpora levemente, con trabajo. Saca algo del macuto. Una pistola de reglamento, a la que quita el seguro [146]. *La silueta de una niña que lleva un cabás en la*

[145] El rostro de ANA, con los ojos cerrados, va desapareciendo poco a poco, y, en su lugar, surge la imagen, en primer plano, del fugitivo durmiendo. Solamente se escucha el sonido del viento. Luego vemos un plano de ANA, en pie, en el interior del corral, mirando al hombre en silencio.

[146] ANA se esconde rápidamente detrás de un muro que hay en el corral. A través de unas grietas observa durante unos segundos al fugitivo. Después sale de su escondite, sin miedo. El fugitivo, al verla, baja su pistola. Un dolor muy intenso en el pie herido le hace inclinar la cabeza. ANA se acerca, se pone en cuclillas, abre su cabás y saca una manzana. Se la ofrece al hombre extendiendo la mano, diciendo: «Ten.» El fugitivo, algo sorprendido, la toma despacio, sin decir nada, y empieza a comerla.

mano está frente a él, mirándole tranquilamente: es ANA. *El fugitivo esconde la pistola. Mira a la niña sin saber qué hacer.* ANA *se acerca unos pasos. Extiende la mano y ofrece una manzana al fugitivo. Este la coge y empieza a comerla. En silencio. La niña le mira.*

Fundido en negro.

SEC. 28. ESCENA 1.   POZO Y ALREDEDORES.   *Ext. día.*

La llanura. El pozo. Las ruinas de la casa abandonada. ANA *corre hacia ese escenario, llevando un bulto entre los brazos. Mira una vez hacia atrás, para comprobar que nadie la sigue. Es un movimiento sin cálculo, instintivo en todos los niños que hacen algo a «escondidas».* ANA *no se detiene junto al pozo, como de costumbre, sino que se dirige directamente a la casa. Desaparece en el interior de las ruinas.*

Encadenado.

SEC. 28. ESCENA 2.   CASA ABANDONADA.   *Int. día.*

COMIENZA MUSICA.

En el interior de la casa abandonada, en su rincón, en penumbra, el desconocido que se tiró del tren. ANA *está frente a él, arrodillada en el suelo. Va sacando de una bolsa de arpillera las cosas que ha traído. Un tarro de miel. Un pan. Una chaqueta. Unos zapatos.*

Encadenado.

SEC. 28. ESCENA 3.   CASA ABANDONADA.   *Int. día.*

Viene de encadenado.

El hombre se ha puesto ya la chaqueta. Es de pana negra. Trata de atarse los cordones de los zapatos,

pero la pierna magullada se lo impide. Hace un gesto de dolor. ANA, *atenta, se acerca. Comienza a atarle los cordones. El desconocido, instintivamente, registra los bolsillos de la chaqueta. Su mano derecha se detiene en el fondo de uno de ellos. Ha encontrado algo. Extrae un objeto que reconocemos en seguida. Es un reloj de bolsillo, de tapas plateadas. El reloj del* APICULTOR. ANA *no se ha dado cuenta, concentrada en su tarea. El hombre hace saltar la tapa.*

MUSICA DE CAJA PERTENECIENTE AL RELOJ.

La cajita de música que hay en su interior deja escapar su melodía. ANA *levanta la mirada. El fugitivo alza frente a sus ojos el reloj, en un gesto ambiguo, de oferta y exhibición al mismo tiempo, sonriendo.* ANA *parece sorprendida. El desconocido hace un gesto de placer, cerrando los ojos, moviendo levemente la cabeza, como si fuera un melómano consumado, al compás de la melodía* [147]*. El gesto hace gracia a* ANA, *que sonríe abiertamente. El hombre interpreta esa sonrisa como una especie de consumación de una ofrenda. Así que, tras cerrar la tapa del reloj, se lo guarda. Comienza a registrar los demás bolsillos, sin preocuparse más de* ANA. *Esta le mira todavía unos instantes. Luego, baja la cabeza y termina de atar el zapato.*

FIN DE LA MUSICA DE CAJA.

Fundido en negro.

SEC. 28. ESCENA 4. POZO Y ALREDEDORES. *Ext. atardecer.*

La llanura. El pozo. Las ruinas de la casa abandonada. ANA *se aleja de este paraje* [148]*. Desaparece de nuestra vista.*

Encadenado.

---

[147] El fugitivo lleva a cabo un rudimentario juego de manos, al final del cual hace desaparecer el reloj.
[148] Tras unos momentos de estar contemplando el corral.

SEC. 29. ESCENA 1. POZO Y ALREDEDORES. *Ext. noche.*

El mismo lugar. Es de noche. De pronto, en la oscuridad, surgen violentos, dramáticos, uno, dos disparos de pistola.

UNO, DOS DISPAROS DE PISTOLA.

Luego, una ráfaga de metralleta.

UNA RAFAGA DE METRALLETA.

Fundido en negro.

SEC. 30. ESCENA 1. FACHADA CUARTELILLO GUARDIA CIVIL. *Ext. día.*

La fachada del cuartelillo de la Guardia Civil del lugar [149]. *En los alrededores se han formado varios corrillos de gente. El* APICULTOR *avanza entre los grupos, serio, saludando distraídamente de cuando en cuando, sin detenerse. Su presencia es acogida con curiosidad. El* APICULTOR *habla con el centinela que está en la puerta, durante unos segundos. No oímos su conversación. El* APICULTOR *entra en el cuartelillo.*

SEC. 30. ESCENA 2. HABITACION. CUARTELILLO. *Int. día.*

En el interior de una habitación, frente a un espejo, un hombre de edad mediana se está afeitando. Es el BRIGADA. *La puerta se abre y entra un* GUARDIA. *Se acerca hasta su superior y le dice:*

GUARDIA CIVIL. Ya está aquí...

El BRIGADA *pliega la navaja y responde:*

---

149 El equivalente de esta parte de la escena ha sido trasladado a un punto situado un poco más adelante. Los alrededores del cuartelillo se hallan completamente desiertos. Se escucha el doblar de una campana. El APICULTOR se acerca hasta la puerta de entrada y dice: «Buenos días.» Alguien, desde el interior, le contesta: «Pase, pase.»

BRIGADA. Ahora mismo voy.

El GUARDIA *sale. El* BRIGADA *deja sobre la mesa la navaja. Coge una toalla. Al hacerlo, descubre algo que había debajo. Es un reloj de bolsillo, de tapas plateadas, muy bonito. El reloj del* APICULTOR [150]. *El* BRIGADA *se quita con la toalla los restos de jabón que quedan aún en su rostro, contemplando al mismo tiempo el reloj. Lo coge y se lo mete en el bolsillo del pantalón.*

SEC. 30. ESCENA 3. BODEGA. *Int. día* [151].

El interior de un sótano que antes debió ser bodega de vinos. En un ángulo todavía se ven algunas barricas. La luz del exterior penetra levemente a través de una pequeña claraboya. Hay también una bombilla encendida. En el centro del lugar, sobre una mesa larga, tapado con una manta, el cuerpo de un hombre, descalzo [152]. *El* APICULTOR *entra acompañado por el* BRIGADA *y otro* GUARDIA. *Se acercan a la mesa. El* BRIGADA *levanta un pico de la manta, justo lo suficiente para que el* APICULTOR *pueda ver el rostro del cadáver. El* APICULTOR

[150] El BRIGADA da cuerda al reloj. Luego lo vuelve a depositar sobre la mesa. Mirándose en un espejo que tiene delante, pensativo, comienza a quitarse con la toalla el jabón de la cara.

[151] El comienzo de esta escena tiene lugar por una calle del pueblo. El APICULTOR y el BRIGADA andan rápidamente, seguidos por un número de la Guardia Civil. Se cruzan con varios corrillos de personas, viejos y niños, sobre todo. A la puerta del local del Ayuntamiento que hace las veces de cine hay otro guardia civil. El APICULTOR y el BRIGADA entran en el local.

[152] La escena difiere en varios puntos del guión literario. Está realizada en un solo plano. Una panorámica vertical desciende por la pantalla cinematográfica que hay pintada en el muro, hasta encuadrar sobre una mesa, envuelto en una manta, un cuerpo humano. De la manta sobresalen únicamente los pies; uno cubierto por un calcetín y el otro descalzo. Sobre la pared de enfrente percibimos la huella de luz que deja la puerta al abrirse. El APICULTOR y el BRIGADA entran en campo. Este último se sitúa a la cabecera de la mesa, levanta un poco la manta para que FERNANDO pueda ver el rostro del cadáver. FERNANDO hace un gesto en sentido negativo con la cabeza. El BRIGADA realiza entonces una señal hacia su derecha. Un GUARDIA CIVIL aparece llevando en las manos una chaqueta de pana y unos zapatos. Se los muestra al APICULTOR. Este los reconoce; toma la chaqueta, la mira y empieza a buscar algo en ella. Adelantándose, el BRIGADA saca de su bolsillo el reloj y lo abre bien a la vista. Comienza a oírse la melodía de su caja. FERNANDO, al percibirla, cede en su búsqueda: toma despacio el reloj y lo cierra, volviéndose hacia la salida. El BRIGADA, después de repetir un gesto hacia su derecha, le sigue. Todos salen, sin haber pronunciado palabra. Sobre la mesa, cubierto por la manta, el fugitivo, muerto.

hace un gesto negativo con la cabeza, anonadado. El
GUARDIA *coge una chaqueta negra de pana y unos za-*
patos y se los enseña al APICULTOR. *Este toma la prenda*
entre sus manos. Mira los zapatos. El GUARDIA *los vuelve*
a tomar. El BRIGADA *le entrega el reloj de bolsillo. El*
APICULTOR, *ensimismado, hace saltar, en un acto refle-*
jo, la tapa. Suena un par de segundos la caja de música.
Un clic pone de relieve que la tapa ha vuelto a ser
cerrada rápidamente.

MUSICA DEL RELOJ. SE CORTA LA MUSICA DE MANERA BRUSCA.

El BRIGADA *pone una mano, amistosamente, en la espal-*
da del APICULTOR, *comprendiendo su estado de ánimo,*
sacándole un poco de sus pensamientos. Así se lo va lle-
vando hacia la salida.

Fundido en negro.

SEC. 31. ESCENA 1.   COMEDOR. CASA DEL APICULTOR.   *Interior día.*

El comedor de la casa del APICULTOR. *La comida del*
mediodía prácticamente ha terminado [153]. TERESA *recoge*
unos platos y desaparece. El APICULTOR *lía un cigarro.*
Está pendiente, sin embargo, de sus dos hijas. ISABEL
pela una naranja muy despacio, con un cuchillo, tra-
tando de reunir toda la cáscara de una sola tira. ANA
se entretiene echando trozos de pan al gato, que está
al pie de su silla. TERESA *entra con una taza de café,*
que coloca delante del APICULTOR. *Luego, se va. El* API-

---

[153] En la película no está claro si se trata del desayuno o del almuerzo. MILAGROS sirve café primero a FERNANDO; luego vemos a TERESA. ANA e ISABEL beben unos tazones de leche, en medio de miradas y sonrisas llenas de complicidad. ISABEL se atraganta y empieza a toser con fuerza, hasta el punto de que casi se le saltan las lágrimas. En ese momento, FERNANDO saca el reloj y lo abre, haciendo brotar su melodía. ISABEL no se da por enterada. ANA, en cambio, se ha quedado inmóvil, semioculto el rostro tras la taza. La mirada de su padre, muy intensa, está fija en ella. ANA baja la taza; sus ojos expresan desconcierto y temor. TERESA parece al tanto de lo que está ocurriendo. FERNANDO baja su mirada, cierra el reloj y da una honda chupada a su cigarrillo. Ninguno de los **cuatro ha pronunciado una sola palabra.**

CULTOR *enciende el cigarro y saca su reloj. Lo abre. La caja de música deja oír su melodía.*

MUSICA DEL RELOJ.

ANA *levanta la mirada. El reloj que ella misma vio, por última vez, en manos del desconocido, está ahora, de nuevo, en poder del padre.* ISABEL *no se ha dado cuenta de nada, enfrascada en su naranja. El* APICUL-TOR *y* ANA *se miran.*

Encadenado.

SEC. 32. ESCENA 1. POZO. *Ext. atardecer.*

Una vez más, la llanura, el pozo, la casa abandonada, a lo lejos, en el atardecer. ANA *corre hacia ese lugar* [154]. *Entra directamente, sin detenerse, en la casa abandonada. Pasan unos segundos.* ANA *aparece en el dintel de la puerta nuevamente* [155]. *Mira a su alrededor, sin saber qué hacer. No se ve a nadie.* ANA *va hasta el pozo y se asoma al brocal. No hay curiosidad en su acto. Un impulso instintivo la lleva a desandar todos y cada uno de los pasos de un misterioso proceso* [156]. *El interior del pozo, oscuro, impenetrable, esconde, una vez más, su secreto.* ANA *se aparta del brocal. Mira al suelo, buscando quizá la huella de un pie gigantesco. Algo llama su atención. Se agacha. Sobre la tierra húmeda hay un reguero de sangre, ya seca.* ANA *toca las manchas rojizas. Es entonces cuando, a sus espaldas, oye un ruido. Se levanta despacio y se vuelve. Alguien está junto a la casa, en la sombra. Una silueta. Una silueta que da dos*

---

154 ANA lleva puesta la capa y corre con el cabás en la mano, lo que nos hace suponer que viene de la escuela.

155 En el dintel de la segunda puerta, la situada a la derecha del espectador.

156 ANA apenas se detiene junto al pozo. Vuelve a entrar en el corral. Es allí, en el suelo, donde unas huellas de sangre, sobre una piedra, justo en el sitio donde reposaba el fugitivo, llaman su atención. ANA se agacha y toca las manchas de sangre con los dedos. Un ruido, a sus espaldas, la hace volverse. En el umbral de una de las puertas ve la silueta de un hombre. ANA, asustada, corre hacia el exterior. Allí descubre a su padre, frente a ella. Este da dos pasos y la llama.

120

o tres pasos. ANA *descubre a su padre. Está allí, mirándola fijamente. Luego, avanza, la mano extendida, llamando:*

APICULTOR.   Ana...

ANA *parece no oír la voz del hombre. Su visión le produce un terror profundo. Retrocede despacio, sin dejar de observarlo. El* APICULTOR *advierte desolado el miedo que su presencia provoca en* ANA. *Angustiado, trata de hacerla volver en sí. La llama con energía, autoritario, deteniéndose, al par que hace un gesto firme con el dedo.*

APICULTOR.   ¡Ven aquí!

La orden hace detenerse a la niña. El padre se acerca despacio, sonriendo levemente, tratando de borrar la violencia que acaba de imponer a la escena. La niña, como movida por un resorte, se vuelve y echa a correr. El padre la llama, dando unos pasos, anonadado:

APICULTOR.   ¡Ana!...

Es un grito de dolor, más que una llamada. ANA *corre por el campo, alejándose.*

Fundido en negro.

SEC. 33.   ESCENA 1.   TERRAZA Y HUERTA. CASA APICULTOR.   *Ext. atardecer.*

Atardece. Desde el terrado que hay en la parte posterior de la casa, la mujer del APICULTOR *observa la huerta y sus alrededores, el paisaje, al otro lado del río, entre los árboles, buscando a* ANA. *Abajo, en el sembrado,* MILAGROS *llama* [157]:

MILAGROS («off»).   Anaaa...

---

[157] MILAGROS no aparece en esta escena. Es TERESA quien llama a su hija.

SEC. 33. ESCENA 2.   POZO Y ALREDEDORES.   *Ext. atardecer.*

*La llanura, el pozo, la casa abandonada, el atardecer.
Completamente solitarios. La voz de una niña llama* [158]:

ISABEL («off»).   Anaaa...

SEC. 33. ESCENA 3.   FACHADA CASA DEL APICULTOR. JAR-
DIN.   *Ext. atardecer* [159].

*Es casi de noche. Desde uno de los balcones de la casa,
MILAGROS e ISABEL miran al grupo de hombres que se
han reunido en el jardín para iniciar la búsqueda de
ANA. La mayoría son gente del pueblo. Hay también
algún número de la Guardia Civil. Varios perros. Lám-
paras de carburo, linternas, faroles. MILAGROS llora. ISA-
BEL, a su lado, aparece conmocionada, la mirada fija en
las luces de las linternas.*

SEC. 33. ESCENA 4.   RINCON JUNTO A VENTANA. CASA
APICULTOR.   *Int. noche.*

*En el interior de la casa, sentada al lado del «Bureau»,
está TERESA. Tiene las manos recogidas, la cabeza baja,
los ojos cerrados* [160].

SEC. 33. ESCENA 5.   JARDIN. CASA DEL APICULTOR.   *Exterior noche* [161].

*El APICULTOR sale de la casa, acompañado de JOSE y el
perro. Es la señal para que todo el mundo se ponga en
marcha.*

Encadenado.

---

158 No sólo oímos a ISABEL, sino que la vemos.
159 Escena rodada, suprimida en el montaje.
160 Escena no realizada. Fue sustituida por otra, improvisada en el rodaje, en la que
TERESA quema una carta, y que figura un poco más adelante.
161 Escena rodada, suprimida en el montaje.

SEC. 33. ESCENA 6. JARDIN. CASA DEL APICULTOR. *Exterior noche* [162].

Viene de encadenado.

El jardín está vacío. Alguien, una silueta, cierra la puerta del balcón que permanecía abierta. Las luces de la casa, encendidas en su mayoría, parpadean unos instantes. Luego se apagan. Arriba, en lo alto, la luna.

SEC. 34. ESCENA 1. BOSQUE. *Ext. noche.*

ANA *avanza por el bosque. Algunos espinos tratan de apoderarse de sus ropas.* ANA *se desembaraza de ellos despacio, sin nerviosismo. Parece ir perdida, pero no da síntomas de intranquilidad. Mira de cuando en cuando a la luna, como si se orientara por ella. A veces se para y escucha. Los mil y un ruidos de la noche* [163].

RUIDOS DEL CAMPO EN LA NOCHE.

En un determinado momento, descubre en el suelo varias setas. Se agacha y las mira. A lo lejos, en medio de la noche, algún ladrido, algún grito que pronuncia su nombre [164].

LADRIDOS LEJANOS.

UNA VOZ LEJANA EN «OFF». Anaaaa...

La niña parece no oír nada.

Encadenado.

---

162 Esta escena no llegó a rodarse.
163 Escena de la que sólo pudo rodarse un plano, que aparece situado en la película tras la procesión de luces por el bosque. En él se ve avanzar a ANA en la noche.
164 Esta escena se halla integrada más adelante, inmediatamente después de la procesión de luces. ANA, además de agacharse para ver mejor la seta, acerca lentamente su mano derecha, y la toca. No se oyen ni ladridos ni llamadas.

SEC. 34. ESCENA 2. VISTA GENERAL DEL BOSQUE. *Exterior noche.*

> *Una procesión de luces recorre el bosque en la noche. Ruido de la gente que camina. El rastreo de los perros. Algunas voces llamando* [165].

Encadenado.

SEC. 35. ESCENA 1. ORILLAS DE UN RIO. *Ext. noche* [166].

RUMOR DE AGUA.

> *El rumor del agua que corre. La orilla de un río.* ANA *se sienta en la hierba. Inclinándose, mete las dos manos, unidas en forma de cuenco, en el agua. Bebe. Al hacerlo, descubre el reflejo de la luz de la luna en el agua. Quizá ve en este espejo algo. Levanta la cabeza. Allí mismo, a unos pasos de ella, hay alguien, una silueta gigantesca. La sombra da unos pasos. Es él:* FRANKENSTEIN. ANA *no huye ni grita. Permanece allí, quieta, sus ojos fijos en una mirada infinita, apagada y extrañamente melancólica. La mirada del monstruo.* ANA, *al cabo de unos segundos, coge algo que guardaba entre sus ropas, y se lo ofrece a* FRANKENSTEIN. *Es una seta* [167].

Fundido en negro.

---

165 Con esta escena se inicia la secuencia. Aquí sí hay varias llamadas a ANA por parte de quienes la buscan en el bosque.

166 Antes de esta secuencia figuran en la película otras dos más. En primer lugar, la de ANA encontrando la seta venenosa; en segundo lugar, aquella a la que hemos hecho referencia (ver nota 160), en la cual TERESA quema una carta.

La escena es como sigue. TERESA acaba de leer una carta, la dobla, la mete en un sobre y la arroja al fuego encendido de una chimenea frente a la que se encuentra sentada. Vemos cómo la carta arde poco a poco, ante la mirada ensimismada de TERESA. En el sobre, un nombre, y debajo una dirección: «Cruz Roja Internacional. Nize (Francia)».

167 La secuencia es distinta en la película. ANA va caminando a lo largo de la ribera, siguiendo el reflejo de la luna en el río. Se acerca hasta el borde mismo del agua. Se pone en cuclillas, pero no bebe; solamente se mira en el río, cuya superficie brilla de una manera extraña. Una fuerza desconocida parece conmover el agua. Poco a poco el rostro de ANA va desapareciendo de ese espejo improvisado y, en su lugar, surge otro distinto. ANA siente a sus espaldas unos pasos que se aproximan lentamente. Se vuelve a mirar. A unos metros, entre los árboles, hay una silueta gigantesca, inmóvil. La sombra avanza un poco más, hacia la luz. Es él: FRANKENSTEIN. ANA no huye ni grita. Permanece allí,

SEC. 36. ESCENA 1. BOSQUE. *Ext. amanecer* [168].

Amanece. El perro del APICULTOR *corre por el bosque, a orillas del río, seguido de lejos por un par de hombres que caminan despacio, fatigados. El perro desaparece entre unos matorrales. Casi de inmediato, se oyen unos ladridos. Los dos hombres apresuran su marcha. Son el* APICULTOR *y* JOSE. *Sus rosotros revelan el cansancio de la intensa marcha nocturna. El perro surge a la vista un momento, ladrando hacia sus amos. Luego, vuelve a desaparecer. El* APICULTOR *y su criado llegan así cerca del río. Se pierden tras los matorrales, siguiendo las señales del animal.*

RUMOR DE AGUA.

SEC. 36. ESCENA 2. BOSQUE. ARBOL GIGANTE. *Ext. amanecer* [169].

A los pies de un árbol gigantesco, tumbada en el hueco, lleno de hojas secas, que forman sus grandes raíces, está una niña. Es ANA. *Tiene el rostro, las manos y las piernas sucias. Algunos arañazos. Las ropas, arrugadas. Sus zapatos aparecen entre la hierba, a un metro de distancia. El perro está a su lado. Lamiendo sus manos. El* APICULTOR *entra corriendo. Se agacha y abraza a la niña.* ANA *le mira sin reflejar emoción alguna. Se*

agachada, quieta, sus ojos fijos en una mirada infinita, apagada y extrañamente melancólica: la mirada del monstruo. Este se acerca despacio, pesadamente, hasta ponerse de rodillas frente a ANA. Levanta sus poderosos brazos, como si quisiera estrecharla entre ellos. Este gesto está cargado de ambigüedad: imposible saber si encierra amparo o destrucción, o las dos cosas a la vez. ANA se mueve un poco, levantándose levemente, como si quisiera refugiarse entre los brazos del monstruo. Este se queda inmóvil, los brazos suspendidos en el aire. ANA cierra lentamente los ojos.

[168] La acción tiene lugar en un llano. Al fondo de la imagen, un recinto semiderruido llama la atención. En tiempos pudo ser un castillo, una torre, una ermita... El perro del apicultor descubre a ANA en medio de las ruinas, tumbada sobre la hierba, semidormida, la cabeza apoyada en su cabás. La despierta y luego vuelve a salir ladrando para atraer la atención del grupo de hombres.

[169] El apicultor, al ver a su hija, la llama: «Ana.» La niña no responde. JOSE recoge sus zapatos y se los entrega a FERNANDO; luego, en voz baja, pregunta: «Ana, ¿qué te ha pasado?» ANA no contesta. Su padre empieza a calzarla. Toda la escena está realizada en un solo plano, general.

diría que no reconoce a nadie. JOSE, recogiendo los zapatos, se acerca a ANA. Le muestra el calzado, como a un niño muy pequeño, mientras llama:

JOSE. Ana, ana...

Pero la niña no parece atender por ese nombre. El APICULTOR coge los zapatos de su hija. Agachándose, empieza a calzar a ANA. El perro chilla lastimosamente, muy bajito, mientras lame las manos de la niña. ANA lo mira como si fuera lo único realmente vivo que hay a su alrededor. Casi se diría que sonríe.

SEC. 36. ESCENA 3. FACHADA DE LA CASA DEL APICULTOR. Ext. amanecer [170].

Regresa en la mañana el grupo de hombres que salió en busca de la niña perdida. Al llegar frente a la casa del APICULTOR, se separan. El APICULTOR, seguido de JOSE y el perro, entra en el jardín. Lleva en brazos, envuelto en una manta, el cuerpo de su hija. Desde la ventana de su habitación, ISABEL los ve llegar.

Fundido en negro.

SEC. 37. ESCENA 1. SALITA. CASA DEL APICULTOR. Interior día.

La salita de la casa del apicultor. En un ángulo, junto a la ventana, TERESA espera. La puerta de una habitación contigua se abre. Un hombre de edad madura, que lleva un maletín en la mano, sale. Es el MEDICO. Se acerca hasta el lugar, en un ángulo, junto a una mesa camilla, donde se halla TERESA [171].

---

[170] Escena rodada. Fue eliminada en el montaje.

[171] La acción transcurre en la salita donde está el piano. El lugar aparece vacío. Se abre una puerta lateral y entra el médico, MIGUEL. Tiene barba, usa gafas y lleva puestos un abrigo y una boina. Va hasta una mesa camilla, se sienta y empieza a rellenar unas recetas. Es entonces cuando la puerta vuelve a abrirse y aparece TERESA. Se acerca al médico y, tratándole de tú, le pregunta: «Miguel, dime, ¿cómo está?» Se percibe por su tono que el médico es amigo de la familia.

TERESA.   ¿Cómo la encuentra?

El MEDICO *saca un talonario de recetas y empieza a escribir utilizando una pluma estilográfica, mientras contesta:*

MEDICO.   Bien, bien... Algo débil nada más... [172]

TERESA *habla casi como para consigo misma, como si la información del* MEDICO *no la aportara nada nuevo.*

TERESA.   No duerme... No quiere comer, no habla..., la luz le molesta... Sólo a veces nos mira. Pero nunca parece reconocer a alguien. Es como si no existiéramos... [173]

El MEDICO *acaba su receta* [174].

MEDICO.   Es lógico. Todavía está bajo los efectos de una gran impresión... Es una niña..., pero se le pasará.

TERESA.   ¿De verdad?

Se produce una pausa.

MEDICO.   Sí...

El MEDICO *baja la mirada y recoge su maletín, y continúa:*

MEDICO.   Poco a poco irá olvidando... Lo importante es que está viva.

TERESA, *visiblemente emocionada, mira hacia la ventana y murmura:*

TERESA.   No sé... No sé cómo ha pasado todo esto.

La puerta de la habitación contigua se abre. Aparece MILAGROS [175]. *Cierra con cuidado, procurando no meter*

---

172 En la película: «Bien... Algo débil aún.»

173 En la película: «Apenas duerme... No come, no habla... La luz la molesta... A veces nos mira. Pero parece no reconocer a nadie. Es como si no existiéramos...»

174 MIGUEL se pone entonces de pie y, tomando a TERESA de los hombros, se la lleva junto a la ventana. Allí, en voz baja, despacio, con un tono íntimo, dice: «Teresa, Ana es todavía una niña y está bajo los efectos de una impresión muy fuerte...; pero se le pasará.» El médico va a moverse, pero TERESA le retiene, diciendo: «¿De verdad, Miguel?» El médico, cambiando el tono de su voz, enfrenta su mirada a la de la mujer: «Poco a poco irá olvidando... Lo importante es que tu hija vive. Que vive...» Dice estas últimas palabras subrayándolas especialmente, cogiendo a TERESA de las manos.

175 MILAGROS se acerca a TERESA y al médico, diciendo: «Don Miguel, se ha dormido.»

ruido. En su rostro hay una expresión de alegría. Hace un gesto con la mano, como pidiendo silencio. Se acerca a TERESA *y, cogiéndola de las manos, con afecto, repite en voz baja:*

MILAGROS.   Se ha dormido... como un pajarito.

TERESA *mira a la puerta del cuarto; luego, al* MEDICO. *Este hace un gesto de confianza hacia ella, con la cabeza, mientras dibuja en sus labios apretados una especie de sonrisa, como diciendo: «¿Lo ve?»* [176]. *Después, arranca la receta del talonario y se la ofrece a* TERESA. *Es* MILAGROS, *sin embargo, la que se apodera de ella* [177].

MILAGROS.   Traiga, traiga usted... Que ahora mismo voy yo a la botica a por todo... [178]

Los tres van desfilando lentamente hacia la salida, alejándose. Las últimas palabras del MEDICO *las oímos en «off», mientras contemplamos la puerta cerrada de la habitación donde está* ANA [179].

MEDICO («off»).   Que tome esas medicinas. Ahí le indico las dosis. Y que vaya comiendo algo. Poco a poco... Al principio, nada de sólidos... Y procuren ustedes descansar. Creo que lo necesitan tanto como ella...

La puerta cerrada. Aparece ISABEL, *mirando hacia la salida, comprobando que nadie la ve. Abre la puerta con cautela y entra* [180].

SEC. 37. ESCENA 2.   HABITACION DE ANA [181].   *Int. día.*

La habitación está casi a oscuras. Unos débiles rayos de luz se filtran a través de la ventana, entre las persia-

176 Gesto eliminado durante el rodaje de la secuencia.
177 El médico entrega la receta directamente a MILAGROS, mientras indica: «Que tome esas medicinas. Ahí le indico las dosis.»
178 En la película: «Sí, señor. Ahora mismo me acerco a la botica.»
179 No es así. Vemos y escuchamos al médico decir a TERESA: «Que vaya comiendo algo, cosas que digiera bien. Una sopa, sin mucha grasa, algún huevecillo pasado por agua... Y tú, Teresa, a descansar, que lo necesitas tanto como ella. Y si ocurre algo, me mandas llamar con Milagros y yo vengo en seguida...»
180 No rodado.
181 En realidad, la habitación de las dos niñas. Es a ISABEL a quien cambian de cuarto.

nas echadas. ISABEL *se aproxima despacio a la cama donde descansa* ANA [182]. *En el suelo, los zapatos embarrados
de su hermana. Sobre una silla, las ropas, sucias, arrugadas. En la mesita de noche, algunos alimentos.* ISABEL
mira a ANA *dormir* [183].

Fundido en negro.

SEC. 38. ESCENA 1. FACHADA DE LA CASA DEL APICUL-
TOR. *Ext. noche.*

Vista general de la casa del APICULTOR. *En la noche.
En el piso superior, la luz de un quinqué comienza a
encenderse. La llama crece lentamente, hasta adquirir
una intensidad determinada. Empezamos a escuchar,
como viniendo de otro mundo, como una especie de
reminiscencia, las palabras y la voz de un hombre, ya
anteriormente percibidas.*

APICULTOR («off»). «Alguien a quien yo enseñaba últimamente
en mi colmena de cristal, el movimiento de esa rueda tan
visible como la rueda principal de un reloj... [184]

La voz se quiebra. Se hace de nuevo el silencio.

Encadenado.

SEC. 38. ESCENA 2. ESTUDIO DEL APICULTOR. *Int. noche* [185].

La mesa de estudio y trabajo del APICULTOR. *Su superficie, abarrotada de objetos, como de costumbre: libros,*

[182] ISABEL se dirige primero a la ventana y abre ligeramente los postigos, para que
entre más luz.
[183] ISABEL se sienta un momento encima del somier de la que fue su cama. Llama:
«Ana.» Pero ésta no responde; parece dormida. ISABEL, entonces, muy despacio, cuidando
de no meter ruido, se acerca a la cabecera de la cama de ANA. Levanta un poco las
sábanas, para ver su rostro. Luego, la vuelve a tapar.
[184] En la película, la voz continúa un poco más: «... Alguien que veía a las claras la
agitación innumerable de los panales, el zarandeo perpetuo, enigmático y loco de las
nodrizas sobre las cunas de la nidada, los puentes y escaleras animados que forman las
cereras, las espirales invasoras de la reina...»
[185] Esta escena se halla cambiada de lugar en la película. En este punto contemplamos
la que el guión literario situaba a continuación, es decir, la escena en la que ISABEL
trata de dormir en su nuevo cuarto.

papeles, lápices, etc.... En el centro, un cuaderno abierto [186]. *El* APICULTOR *está sentado, la cabeza apoyada entre los brazos, sobre la mesa. Parece dormir. Una sombra entra en campo. Unas manos de mujer, muy bellas y cuidadas, colocan sobre los hombros del* APICULTOR, *con cuidado, en silencio, un abrigo. La mano derecha del hombre coge una de las manos femeninas y la aprieta con fuerza, sin mover el resto del cuerpo, el rostro siempre oculto entre los brazos* [187]. *La mano izquierda de la mujer termina de ajustar la prenda sobre los hombros del* APICULTOR. *Luego, poco a poco, acaricia levemente sus cabellos* [188].

Encadenado.

SEC. 38. ESCENA 3. HABITACION DE LAS NIÑAS. *Interior noche.*

ISABEL *duerme sola por vez primera. A su lado, vacía, la cama que antes ocupara su hermana* ANA [189]. ISABEL *no puede conciliar el sueño. Escucha los ruidos nocturnos de la casa. Su mirada está fija en la sombra de las ramas de los árboles que se reflejan en el techo de la habitación. El viento mueve suavemente esas sombras.* ISABEL *cierra los ojos. Quizá llora* [190].

Encadenado.

---

[186] Y su reloj de bolsillo, protagonista de tantos momentos de la acción.

[187] En la película no se produce este gesto por parte de FERNANDO. No hay indicio alguno de que el apicultor no esté dormido realmente.

[188] TERESA no realiza esta acción. En la película todo, en esta escena, se halla más contenido. El apicultor tiene delante, abierto, ese cuaderno en el que escribe noche tras noche. Se ha dormido sobre él, con sus gafas puestas. TERESA, tras echarle por encima de los hombros el abrigo, retira el cuaderno y lo cierra. Después, procurando no despertarle, le quita las gafas y las deposita encima de la mesa. Por último, apaga el quinqué lentamente, colocando su mano delante de la luz.

[189] En realidad, esta secuencia va situada un poco antes (ver nota 184). Se trata de una nueva habitación (ver nota 181), en la que los padres han colocado a ISABEL.

[190] ISABEL se limita a taparse con las sábanas, cubriéndose por completo la cabeza.

133

SEC. 38. ESCENA 4.   HABITACION DE ANA.   *Int. noche.*

En su nueva habitación [191], que ocupa sola, por vez primera en su vida, ANA se acaba de despertar [192]. Sentada en la cama, parece escuchar. Un ladrido lejano, como una llamada; el vuelo de un ave nocturna; el murmullo de las ramas de los árboles; quizá, incluso, el paso lejano de un tren. De la mesilla coge un vaso con agua y se lo bebe entero, despacio. Se pone en pie. Descalza, va andando hasta el balcón. Lo abre. En el exterior, arriba, en lo alto, la luna. ANA la mira [193]. En un determinado momento, cierra los ojos [194]. Comienza a oírse una música. Luego una voz de mujer. Una voz que canta en la noche una canción. Las palabras de la misma nos acompañarán hasta el final. La canción dice lo siguiente:

Encadenado.

SEC. 38. ESCENA 5.   FACHADA DE LA CASA DEL APICULTOR.   *Ext. noche* [195].

La fachada de la casa del APICULTOR en la noche. La luz de un quinqué brilla en una ventana del piso superior.

CANCION.   «Si la noche se hace oscura y tan corto es el camino, ¿cómo no venís, amigo?»

Encadenado.

---

191 Ya hemos comprobado que no es así (nota 181).

192 Lo primero que percibimos en la imagen es un vaso lleno de agua y una mano infantil que lo coge. Se trata de ANA, que bebe el contenido, con una cierta ansiedad, sentada encima de la cama.

193 En la película, los ladridos del perro van en aumento. No hay ningún plano de la luna. La voz de ISABEL, viniendo de lejos, como una especie de reminiscencia, vuelve a repetir las palabras que dijera a ANA la noche en la que ésta, por vez primera, en el cine, vio a FRANKENSTEIN: «Si eres su amiga, puedes hablar con él cuando quieras. Cierras los ojos y le llamas: Soy Ana, soy Ana.» ANA cierra los ojos como repitiendo en su interior esta invocación.

194 Es entonces cuando comienza a oírse, cada vez más próximo, el ruido de un tren. No se escucha canción alguna.

195 Escena no rodada. La canción fue suprimida.

El mismo plano. La llama del quinqué aparece más débil.

CANCION.   «La media noche es pasada, y el que me pena no viene; mi desdicha lo detiene, que nací tan desdichada.»

Encadenado.

El mismo plano. La llama del quinqué oscila un par de veces; luego, se apaga. Arriba, en lo alto, la luna.

CANCION.   «Háceme vivir penada y muéstraseme enemigo. ¿Cómo no venís, amigo?» [«Si la noche se hace oscura», pena de amor en voz de mujer, autor desconocido. Cancionero del duque de Calabria, siglo XVI.]

Encadenado.

SEC. 38. ESCENA 6.   HABITACION DE ANA.   *Int. noche* [196].

Viene de encadenado.

SILENCIO TOTAL.

La música se apaga definitivamente [197]. *El rostro en penumbra de* ANA. *Tiene también los ojos cerrados* [198]. *Como viniendo de otro mundo, como una especie de reminiscencia, oímos una voz en «off» que expresa una forma de llamar* [199].

VOZ INTERIOR DE ANA.   Soy Ana...

En el umbral del balcón, ANA *es una sombra más. Lento fundido en negro* [200].

F I N

[196] Este fragmento de escena aparece unido a la escena 4 de la Sec. 38.
[197] La música, por el contrario, continúa en la película.
[198] ANA abre los ojos a continuación, y nos mira. Luego, poco a poco, se vuelve hacia el interior de la habitación.
[199] La última imagen de la película es un plano general de ANA, de pie, inmóvil, en el umbral del balcón, en silueta, mirando hacia el espectador, en silencio, mientras el ruido del paso del tren se va alejando. Lento fundido en negro.
[200] Sigue el resto de los títulos de crédito.

Entrevista con Víctor Erice

*Fragmentos de una entrevista
realizada en Madrid,
en octubre de 1973, por*
MIGUEL RUBIO, JOS OLIVER
y MANUEL MATJI,
*posteriormente revisada
por* VICTOR ERICE.

¿Por qué elegiste el mito de Frankenstein?

La verdad es que no lo sé con exactitud. En esta elección hubo mucho de instintivo. De todos modos, en ella pudieron influir un conjunto de factores diversos. Por un lado, la visión del ciclo de películas sobre el tema que la televisión acababa por entonces de ofrecer, junto con una relectura que hice del libro de Mary Shelley; y por otro, la posibilidad, al elegir a Frankenstein, de conseguir más fácilmente un compromiso previo de distribución. El caso es que el proyecto fue aceptado casi de inmediato.

Desde un principio presentí que la elección, fruto de unas circunstancias un poco casuales, entrañaba a niveles prácticos no pocas dificultades. En el fondo tenía la sensación de que no era una película de género lo que deseaba hacer. La primera línea argumental que logré concretar, confirmaba esta impresión, evidenciaba ya un cierto conflicto. Era una línea que, tratando de aceptar las reglas del juego, no lograba asumirlas en profundidad. Naturalmente esta valoración no pasa de ser una hipótesis sobre algo embrionario, y como tal difícil de juzgar. Lo que sí me parece claro es que en ese primer enfoque mi experiencia de cinéfilo y de lector era determinante.

En ese momento del proceso, ¿qué representaba Frankenstein?

La película partía de una consideración del destino moderno de algunos mitos literarios y cinematográficos hoy en trance de desaparecer, degradados, convertidos en fetiches tras la manipulación a que han sido sometidos. Acudiendo a una misteriosa convocatoria, el monstruo de Frankenstein venía de nuevo hacia nosotros desde el mismo lugar donde Mary Shelley le había abandonado: el Artico. Allí había permanecido en hibernación durante años y años. La médula del argumento estaba constituida por el enfrentamiento de los personajes principales del libro con una especie de tecnócratas actuales de la cultura y la ciencia, al servicio de una organización que tenía también un cierto carácter policíaco. La mayor parte de la acción se desarrolla dentro de un universo concentracionario. Era, desde luego, una institución represiva, y, aunque no se trataba exactamente de un manicomio o de una cárcel, tenía algo de ambas cosas.

Recuerdo que, en la historia, algunos de los personajes recluidos dentro de la institución se referían con frecuencia a una mujer desconocida que permanecía alojada en una de las zonas más aisladas del edificio, sin salir nunca al exterior, y a la que oían cantar de cuando en cuando, siempre a medianoche. Sólo el doctor Frankenstein y el monstruo, que figuraban también entre los reclusos, parecían reconocer, percibir algo distinto a los demás en aquella voz. En determinado momento, contemplábamos esta escena. Pero había algo más: sin que la mujer lo supiera, la letra de su canción, el ritmo de sus palabras, eran utilizados por los internos como una improvisada contraseña, para comunicarse a través de los muros, de celda en celda. Al final, por primera y única vez, la cámara penetraba en el lugar donde esa mujer se hallaba encerrada. Su edad era indefinida; su figura, sus vestidos, intemporales. No se daba cuenta de que estaba siendo observada; al menos no hacía nada que lo denotara. Se la veía totalmente ensimismada, dibujando. Su dibujo reproducía la imagen de un velero debatiéndose en medio de una tempestad. En ese momento toda la atención de la mujer estaba concentrada en trazar lentamente, sobre la quilla del velero, un nombre: «Ariel». Así se llamaba el barco en el que Shelley, el poeta, navegaba cuando murió ahogado. Cabía, pues, pensar que esa mujer era Mary Shelley. El estilo imaginado para la película revelaba una influencia de ciertos aspectos del cine mudo, en especial del expresionismo alemán, sobre todo de algunas obras de Fritz Lang, y de «Nosferatu», de Murnau.

¿Por qué desechaste este proyecto?

La idea presentaba bastantes problemas desde el punto de vista de producción, porque exigía una cantidad de elementos que rebasaban probablemente nuestros planteamientos económicos. De todos modos, lo que más influyó en mi decisión fue el darme cuenta de que en este enfoque del proyecto faltaba algo que entonces me pareció esencial. Lo comprendí de una manera clara al poco tiempo, de repente.

Desde que elegí el tema, había recortado un fotograma de la película de James Whale «El doctor Frankenstein», y lo tenía encima de mi mesa de trabajo. La imagen, una de las más conocidas, reproducía el encuentro, a orillas de un río, del monstruo con una niña. Una mañana, al contemplar una vez más ese fotograma, sentí que allí estaba contenido todo. Aquella imagen podía resumir, en el fondo, mi relación original con el mito. Antes de saber que Frankenstein era una criatura literaria ¿cuál había sido mi primera relación con él? Había sido una relación teñida de atracción y rechazo, establecida en el interior de una sala oscura, en un momento de la infancia. Es decir, el mismo tipo de relación que habrán tenido otras muchas personas. Luego, a medida que uno crece, lee libros, ve más películas, se convierte en espectador más o menos consciente, y esta experiencia primera queda trascendida, completada, por la experiencia cultural. Pero quizás lo importante en toda experiencia mítica es el momento de la revelación del fantasma, de la iniciación, y a él me remití. Entonces, en un par de días, escribí una historia que luego se transformó, pero que fue la base de *El espíritu de la colmena*.

¿Hubo un intento consciente de rechazar la experiencia cultural?

No, en absoluto. Seguramente no me he explicado bien. Ese intento me parece absurdo. A no ser que tengamos un concepto muy limitado de lo que es la cultura, y reduzcamos su experiencia a categorías intelectuales exclusivamente.

Antes nos has dicho que, en determinado momento, en París, poco antes de empezar a trabajar en el guión, tuviste la oportunidad de ver ordenadamente la obra entera de Godard. ¿Fue esto algo importante para ti?

Sí, en efecto; pero lo fue, sobre todo, en el sentido de poder completar la visión parcial que, por razones obvias, se tiene en España del cine de Godard. Creo que la experiencia de Godard ha sido capital dentro del desarrollo del cine contemporáneo, que constituye un punto de referencia inevitable. En su obra hay contenida una interrogación total, llena de desgarramientos, sobre el sentido del lenguaje cinematográfico. Representa un período muy vital, que corresponde al clima del comienzo de los años sesenta, pero que, de alguna manera, ha quedado ya atrás. Entre otras cosas porque un sector considerable del cine más interesante de entonces, asfixiado por la acción de las multinacionales, ha terminado desembocando en un callejón sin salida. Algunos directores, a la hora de asegurarse una continuidad de trabajo y una independencia mínimas, han tenido que buscar la ayuda económica de la televisión. Este es el caso, entre otros, de Straub. La necesidad de superar esa situación es evidente. El mismo Godard lo ha intentado incluyendo su labor dentro de una perspectiva de cine político, militante. Que este fenómeno se produzca cuando precisamente los grandes cineastas que iniciaron su experiencia en tiempos del mundo han desaparecido o han dejado de hacer películas (salvo contadas excepciones: Hitchcock, Buñuel...), me parece algo que hay que meditar.

Volviendo a El espíritu de la colmena. *¿Cómo trabajasteis en el guión?*

Casi desde un principio, especialmente desde que comenzamos a pensar en los personajes de los adultos, Angel Fernández-Santos y yo tuvimos la sensación de que no íbamos a contar exactamente una historia. En un guión de corte, digamos, tradicional, cuando se construye un personaje es bastante corriente pensar de inmediato en el papel que va a jugar dentro de la anécdota, en sus datos biográficos, en su carácter, etc... Nosotros obramos de una forma distinta. En una primera instancia, las figuras de los padres se nos aparecían como una especie de sombras. Y así las aceptamos. No pretendimos saber en seguida muchas más cosas de ellos. Nos bastaba con la imagen única, primordial, que de una manera espontánea, inconscientemente, habíamos percibido de ellos: «Un hombre que contempla el crepúsculo, una mujer que escribe una carta.» Quizás esto explique el porqué la película, en cierto modo, está hecha de fragmentos; el porqué, desde un comienzo, al encontrarnos en los dominios del mito, los personajes difícilmente podían en rigor ser considerados desde una vertiente naturalista. Casi sin darnos cuenta estábamos ya girando alrededor de una estructura lírica.

Existía, pues, como un rechazo (mejor: un vaciado) del personaje. He apuntado uno de los posibles motivos: la presencia del mito; el tratarse, además, de una historia en la que el mito se contemplaba a través de los ojos de una niña. Quizás puedan percibirse otros.

A veces pienso que para quienes en su infancia han vivido a fondo ese vacío que, en tantos aspectos básicos, heredamos los que nacimos inmediatamente después de una guerra civil como la nuestra, los mayores eran con frecuencia eso: un vacío, una ausencia. Estaban —los que estaban—, pero no estaban. Y ¿por qué no estaban? Pues porque habían muerto, se habían marchado o bien eran unos seres ensimismados desprovistos radicalmente de sus más elementales modos de expresión. Me estoy refiriendo, claro está, a los vencidos; pero no sólo a los que lo fueron oficialmente, sino a toda clase de vencidos, incluidos aquellos que, independientemente del bando en que militaron, vivieron el conflicto en todas sus consecuencias sin tener una auténtica conciencia de las razones de sus actos, simplemente por una cuestión de supervivencia. Exiliados interiormente de sí mismos, la experiencia de estos últimos me parece también una experiencia de vencidos, llena de patetismo. Terminado lo que consideraron como una pesadilla, muchos volvieron a sus casas, procrearon hijos, pero hubo en ellos, para siempre, algo profundamente mutilado, que es lo que revela su ausencia. Quizás esto explique un poco el tratamiento que hemos dado a las figuras del apicultor y su mujer; tratamiento en cuya base existe, a nivel de guión literario, una labor de decantación de todo el material acumulado.

¿Cómo hicisteis esta labor de decantación?

Explicarlo significaría examinar un proceso de elaboración bastante largo. De ello puede dar una idea el hecho de que la última y decisiva revisión de este material fue llevada a cabo poco antes de empezar el rodaje. En parte, esa revisión surgió porque al calcular sobre el papel la duración aproximada de la película, advertí que se acercaba a las dos horas y cuarto; lo cual evidentemente complicaba las cosas en cuanto a la producción y la distribución. Era necesario tomar una medida radical.

En ese momento, el guión todavía seguía conservando la misma estructura que había tenido desde un principio. La acción se iniciaba en la época actual, con el personaje de una de las niñas, Ana, convertida en mujer, que volvía al pueblo para asistir al entierro de su padre. A partir de ahí, de una forma fantástica, se producía el salto al pasado, el retorno a la infancia. Cuatro semanas antes de empezar la película descarté toda esa parte, y construí otro arranque. De este modo, me encontré con un proyecto renovado, no sé si para mejor o peor, entre las manos. Posiblemente, sin proponérmelo expresamente, di cauce así a esa necesidad instintiva, no exenta de conflictos, que hasta ahora he sentido siempre: la de trabajar dentro de una estructura lo suficientemente abierta como para integrar aquellos elementos nuevos que surgen en el rodaje. Una necesidad que hay que tener en cuenta de manera especial cuando se trata de una película interpretada por niños, en la que es preciso estar atento a su instinto, y no intentar preconcebirlo demasiado.

El hecho de rechazar ese material unas semanas antes de empezar la película ¿influyó de alguna manera en su forma, en sus imágenes?

Es muy posible. De lo que sí estoy seguro es de que, al situar la historia dentro de una única dimensión temporal, la forma cinematográfica se hizo más transparente. Este hecho, aunque forzado, como he dicho, por unas circunstancias un poco externas, fue la consecuencia de una cierta reflexión crítica. Me daba cuenta de que el mito, entrevisto en la edad adulta por la protagonista, forzosamente debía adquirir una dimensión distinta a la que desempeñaba en la infancia; de lo contrario, su trayectoria podía convertirse en algo demasiado cerrado. Resultaba problemático superar esta situación, máxime cuando nos sentíamos obligados a respetar unos márgenes temporales establecidos. La clásica toma de conciencia a nivel del personaje, una de tantas opciones, en este caso chocaba con el estilo y la naturaleza de la obra. Utilizar un orden metafórico, una cierta forma de elipsis, entrañaba igualmente numerosos riesgos; entre otros, el de una posible redundancia, el de ser poetizante. La metáfora tenía su razón primordial de ser en la infancia.

La mayoría de los finales suscitados se prestaban a un tipo de crítica parecido. Uno de ellos, quizás el que personalmente prefería, estaba trazado en función de unos conocidos versos de Shakespeare, pertenecientes a «La tempestad», en los que se habla de la muerte del padre, algunos de los cuales figuran inscritos en la tumba del cementerio romano donde está enterrado Shelley. A pesar de la relación subterránea (no exenta de cierta complicidad; de ahí, también, su fragilidad) con el tema original, no estaba seguro de si este género de solución era bueno, si poéticamente resultaba válido. Así que, impulsado por esta serie de cuestiones, acabé prescindiendo de toda la acción que se desarrollaba en la época actual.

Pero esta decisión ¿influyó también en la sobriedad estilística de la película o estaba ya en el proyecto inicial?

Sí, naturalmente influyó. Es indudable que al constituirse la infancia en el centro de la historia, el estilo se clarificó más. Aunque es cierto también que la búsqueda de una determinada sencillez estaba ya contenida en el proyecto inicial.

La película refleja muy bien el clima de la Castilla de los años cuarenta, a pesar de haber eliminado las referencias muy concretas...

146

Esta impresión es muy curiosa. Personalmente no sé qué decir. Nunca estuve en Castilla por esa época. Angel, que es de la provincia de Toledo, sí. De todos modos, yo diría que en la película el ámbito histórico se halla interiorizado, sumergido dentro de una perspectiva en cuya base existe un desdoblamiento fantástico de lo real; lo cual no impide que, a partir de esa perspectiva, y a través fundamentalmente del subconsciente del espectador, pueda decantarse el sentimiento, la respiración de un tiempo determinado. En esta cuestión, como en tantas otras, pienso que es imprescindible partir de una consideración previa de la verdadera naturaleza cinematográfica de la obra.

Comprendo que los que tiendan a quedarse con una visión más directa e inmediata de la realidad no compartan este tipo de razonamiento, al que pueden considerar como demasiado subjetivista y ambiguo. Consideraciones críticas de este tipo, que suelen manejar habitualmente criterios sociologistas, me parecen una consecuencia inevitable, casi fatal, de esa contradicción moderna, socialmente establecida, entre historia y poesía.

Hace un momento, para explicar el tratamiento dado en la película a las figuras de los padres, me refería a una serie de impresiones de infancia íntimamente relacionadas con una forma de interiorizar determinados aspectos de una situación histórica. Al usar esta referencia, lo que intentaba, forzado por las circunstancias, era reconvertir en historia lo que surgió como una necesidad poética. Se trata, a la vista está, de un intento cuya condición última, aquí y ahora, es el fracaso. De ahí que sólo quepa la alusión. Porque esas impresiones, pero sobre todo esa necesidad, al encarnarse en imágenes, al hacerse escritura, entran en esa región llena de luces y de sombras en la que vive el mito, contradiciendo y transfigurando el tiempo histórico, pero sin llegar a detenerlo. Surge así ese desgarramiento, esa tragicidad de la escritura contemporánea, a la vez portadora, como dice Roland Barthes, de la alienación de la Historia y del sueño de la Historia; tragicidad que esas consideraciones críticas a las que he aludido antes, refugiadas por lo general dentro de una conciencia positiva, utilitaria y «feliz» del lenguaje, ignoran o ponen entre paréntesis.

La infancia está vista en tu película como un nacimiento, un descubrimiento...

Es cierto. Sobre todo, en lo que se refiere al personaje de Ana, del cual puede decirse que recorre un itinerario que va de la dependencia absoluta a la asunción de una cierta aventura personal. Es posible hablar de esta aventura en términos de iniciación, de conocimiento, de renacimiento incluso; aunque creo que, en sus últimas consecuencias, si algo la caracteriza es una suerte de misterio; algo que a nosotros, espectadores al fin y al cabo, quizás sin remedio se nos escapa.

En cualquier caso, sin Isabel no podría existir esa Ana última. El papel que cumple es, pues, muy importante. Lo patético de Isabel es que no cree en el alfabeto que, casi sin darse cuenta, provoca; para ella es un juego. De ahí que a un cierto nivel sólo sea capaz de simular, de disfrazarse, de representar, de dar un susto. No puede convocar al fantasma. En la última escena en la que aparece, su miedo ante las sombras nocturnas es de una categoría distinta al de su hermana. Porque Ana tiene algo que falta a Isabel: que cree en el monstruo, y lo busca firmemente, hasta sus últimas consecuencias.

De alguna manera, aunque sea primaria, las trayectorias conjuntas de las dos hermanas vienen a reproducir esa dialéctica entre mentira y verdad («¿jugamos de verdad o jugamos de mentiras?»: esa clásica expresión que los niños utilizan con frecuencia, entre ellos, para precisar su forma de participar en un juego) que es sustancial en determinados procesos de conocimiento. Hay algo hermoso, y quizás también autodestructor, en Ana: su necesidad absoluta de saber. Por eso, en cierto momento, se diría que convoca al fugitivo, una figura que puede ser considerada como una especie de recreación interior de sí misma: ella lo lanza a la acción del film. A partir del contacto con la niña, a ese hombre, que nunca pronuncia una palabra, lo matan. De ahí el enigma que, en esa parte de la película, rodea al comportamiento de Ana; de ahí también que su único lenguaje, como en el caso del monstruo, sea el del silencio; mejor aún: el de una mirada.

Se advierte en este sentido una presencia casi constante de la muerte que da el clima de la película.

Sí, me parece que sí. Reflexionando a posteriori, pienso que efectivamente hay en ella muchos signos de muerte, de destrucción. Como una especie de relación constante entre la muerte y la vida; entre lo que aparentemente está muerto pero que entraña una posibilidad de vida, y lo que es vida paralizada y por tanto moribunda. Hay muchos ejemplos. Teresa quiere saber si la persona a quien escribe vive todavía. Cuando el apicultor cruza por delante del cine, la banda sonora reproduce el momento en que el monstruo de Frankenstein cobra vida. El texto que Fernando redacta en la noche, hace referencia, a través de la vida de las abejas, al «reposo mismo de la muerte». La inicial conversación entre las dos hermanas gira alrededor de la muerte, de verdad o de mentira, del monstruo y la niña que salen en la película que han visto. Isabel juega a hacerse la muerta... En fin, las referencias son casi constantes. No olvidemos, por otro lado, que el monstruo de Frankenstein es una criatura formada a partir de restos humanos a los que el doctor logra dar vida.

También, al final, el médico dice de Ana que lo importante es que esté viva...

Así es. Aunque él quizás lo dice, sobre todo, para tranquilizar a la madre, lo cierto es que sus palabras, llenas de convicción, insertas en ese momento han adquirido una resonancia un poco especial.

MADRID, OCTUBRE DE 1973

Alvaro del Amo

Una gradación de venenos

«Soy Ana»

El cine español es un estercolero de propuestas morales. Dirigidas a defender la invulnerabilidad del matrimonio, la lealtad de la Legión, la virginidad de las hijas de familia, la energía con que bellísimos sacerdotes sortean la tentación carnal. Destinadas a asegurar que las drogas conducen inexorablemente a la degradación, que el aborto es un asesinato, que la homosexualidad es un vicio. Propuestas morales que llaman la atención sobre lo difícil que resulta a las señoritas de la buena sociedad vivir un amor auténtico y sobre lo que cuesta mantener en la práctica profesional los ideales estudiantiles que florecieran en una tarde de lluvia; sobre lo hipócrita que era la sociedad decimonónica; sobre el alma negra del estraperlista; sobre las distintas alimañas que acechan la pasión del alimañero. Propuestas morales que se quejan de que la triple simbología de una genérica síntesis de la sociedad española explicada a través de una tipología de reprimidos (militares reprimidos, místicos reprimidos y reprimidos reprimidos) que niegan todo lo que no sea la aridez de su paisaje hasta el punto de linchar simbólicamente a una muchachita con pasaporte extranjero que al páramo ha ido a parar por un aciago azar del sistema «au pair». Que protestan contra el hecho intolerable de que la primita de largas piernas que suavizara la amarga infancia del niño republicano aparezca en un presente recorrido por la muerte de un familiar casada con un vendedor calvo, simpático y maleducado que ofende gravemente la transida memoria del que fue niño republicano y hoy es adulto tristón con cara de pez dormitando impúdicamente tras una escapada dominguera allí donde la primita saltaba a la pata coja.

Quejas, defensas, recomendaciones, avisos, afanes de referirse a, de meterse con, de recordar que, de reflejar insuficiencias, de repetir toques de alerta, de apoyar, de enaltecer, de ponerse al lado del que gana o ganó o del que pierde o perdió, preocupaciones por ofrecer motivos de reflexión, que el espectador sepa, recuerde, comprenda, caiga en la cuenta. Que tome conciencia. Que la tome o que la deje.

Si *El espíritu de la colmena*, de Víctor Erice, se ha destacado tan radicalmente del marasmo llorón del cine español, no es sólo, no es tanto porque sea «mejor», sino porque se desinteresa de lanzar propuestas morales para ocuparse sencillamente de la desolación.

* * *

Un grupo familiar que evoca el aislamiento de un diseminado archipiélago de individualidades caracterizadas por una bipolaridad que puede expresarse acudiendo a los términos «dentro» y «fuera».

Fernando, el padre, se ocupa «dentro» de atender la colmena, de pedir levantando la voz la merienda, de sentarse a escuchar una radio-galena frente al balcón de la cristalera-fanal, al tiempo que procura asomarse a un mundo de «fuera» a base de elucubrar sobre las energías que se convocan en la vida social de la colmena y, probablemente, en la realización de un viaje al exterior que supondrá unos días de ausencia destinados, quién sabe, al cultivo de un reducto personal.

Teresa, la madre, atiende «dentro» a la dirección de la casa, peina a las niñas, espera desvelada a su marido en el lecho conyugal; y «fuera» ha encontrado un centro de interés, una presencia amiga, un refugio preservado de la vida diaria en las cartas que envía y que en bicicleta se acerca a echarlas al tren correo; cartas en donde no cuenta tanto la lejanía del destinatario (pues cabe pensar que las dirige a su marido o, quién

156

sabe, a sí misma), sino el hecho en sí de aprovechar una pausa en el quehacer de ama de casa aterida para aislarse un rato y a una luz inevitablemente mortecina sentarse a escribir.

Isabel, la hija mayor, ha integrado el «dentro» y el «fuera» en una insólita armonía, conseguida a base de indiferencia (el «monstruo» en último término le da igual), de violencia (el susto que da a su hermana haciéndose pasar por muerta y resucitando luego para esconderse en la penumbra); a base de contemplarse: coquetería lánguida, ociosa, «irresponsable» (la sangre empleada como colorete, como carmín). El misterio del mundo no le interesa. El tren tiene para ella un valor genérico, abstracto.

Ana, la hija pequeña, habita un «dentro» que es una expectativa, el umbral del «fuera». El «dentro» es una casi tiniebla poblada por presencias, por llamadas del exterior, que ejercen una poderosa atracción y en las que subyace una amenaza.

El monstruo, el paisaje con la construcción vacía junto al pozo, don José, las setas.

El monstruo asusta por su carácter de tal. Y resulta al mismo tiempo poderosamente atractivo. Repele por su rareza, por su bamboleo, por su tamaño y fascina por su enigmática posibilidad de ternura, por su capacidad para constituirse en aparición, por su extraordinaria susceptibilidad para convertirse en el objeto, en el pretexto de un secreto infantil.

El paisaje con la construcción vacía junto al pozo aparece como un ámbito sugerente y neutro a la vez, como un decorado capaz de albergar toda clase de expectativas. De espanto y de revelación.

Don José, un muñeco al que se saluda como un adulto amigo y al que es preciso quitar o poner distintas vísceras. Un señor simpático y un esquema de persona con ojos, pulmones y estómago de quita y pon. La seguridad que inspira una buena persona y el escalofrío que su despiece provoca.

Las setas, cuya recogida motiva un paseo campestre y que constituyen un rico manjar, aunque pueden ser venenosas y provocar una muerte espantosa. Las setas venenosas, las que despiden un aroma más dulce.

Atracción y amenaza en los centros de interés de Ana, volcada a escudriñar los enigmas, el enigma único que en tal bipolaridad se contiene. La fascinación y el horror de una serie de manifestaciones (complementarias, repetidas) de un «fuera» contemplado desde un «dentro» decidido a averiguar, a obtener una respuesta, a descifrar unos misterios, lo que habrá de suponer una liberación, un trueque de incertidumbres y alarmas por un inicio de lucidez y, quién sabe, de energía.

Si el padre vive sobre la escisión entre la colmena y la especulación sobre la colmena; si la madre respira gracias a otra escisión entre los quehaceres de la casa y las cartas que escribe; si Isabel parece decidida a conformarse con lo que hay y no necesita de escisiones, pues un bálsamo previo de reconciliación suaviza, fija y recompone el mundo y su persona, la actitud de Ana es, según esto, la más radical, en cuanto prescinde de separar el «dentro» y el «fuera», la vida diaria y las expectativas de felicidad o de alivio, y en cuanto, además, se enfrenta a la cotidianidad precisamente en lo que tiene de expectativa. En lo que tiene de receptáculo de los ecos de «fuera».

Cotidianidad maltrecha, derruida, que necesita ser recompuesta. Como «recompuesto» ha sido el monstruo, construido a base de distintos retazos de diferentes cadáveres anónimos; como recompuesto resulta don José, al que es preciso añadir una serie de órganos vitales; como, en similar sentido, al paisaje con la construcción vacía junto al pozo le falta algo en cuanto decorado de una representación que no acaba de comenzar y que hasta entonces seguirá instalado en una dimensión de provisionalidad, sin tomar forma. O, también, las setas a las que será preciso aplicar unas pericias de identificación para separar las comestibles de las venenosas, «recomponiendo» así su proliferación «indiscriminada», en donde naturalmente todas brotan y se ofrecen por igual, las «buenas» y las «malas».

Por la vía del tren, encaramado a un vagón, en la misma línea de ferrocarril que lleva las cartas de la madre y que condujo al padre a un lugar ignoto, en un convoy similar al que pasa junto a las niñas, que acechan y adivinan su proximidad, llega el fugitivo, surgiendo de un «fuera» que tiene mucho de onírico, y destinado a concretar en una presencia de hombre herido todos los enigmas, los misterios que atraen y repelen, la vida cotidiana que exige ser incesantemente recompuesta.

El fugitivo que, como el monstruo, se ve obligado a huir; que, como don José, llega maltrecho; a instalarse, a «dar sentido» al paisaje campestre, protagonizando una representación breve y trágica; pue, como si se tratara de una seta venenosa, será aplastado.

Con su muerte, queda clausurada para Ana la posibilidad de desvelar los misterios, se le negará brutalmente su actitud de contemplar el «fuera» desde «dentro», obligándola a establecer una fisura, una honda grieta entre su persona y el mundo.

Hay que contentarse con la falta de respuestas. La solución es la negación de la solución. El silencio. Los enigmas siguen siendo tales, la cotidianidad deteriorada se niega a ser recompuesta. No tiene arreglo. O se acepta, como hace, como ha hecho su hermana Isabel. O se procura paliar con un interés subyacente o con una ilusión imposible, como han hecho su padre y su madre. No caben decisiones más «complejas». La de Ana, asomada al saber, suspendida en una atmósfera tumefacta, no tiene cabida, no puede expresarse.

El círculo se ha cerrado. El círculo, cuyo trazo coincide con la trayectoria de recuperación del reloj con música (padre-fugitivo-guardia civil-padre), viene a advertir desgarradamente a Ana que debe renunciar por igual a las respuestas y a las reconstrucciones. Su reacción, su huida, supondrá convertir su transida serenidad ante el enigma en una aparición. A sepultar sus afanes en el arcón de los secretos. A esconder, a preservar de la cotidianidad lo que de verdad le importa. A afirmar sin gran convicción su identidad como ofrenda al monstruo amigo y a las tinieblas de una noche de convalecencia.

Ana, en la desolación de su lucidez herida y de algún modo imposible, compone ya la figura convencional del cinéfilo desesperado.

A. DEL A.

Ficha técnica
y ficha artística

TITULO ORIGINAL:	«EL ESPIRITU DE LA COLMENA»
DIRECTOR:	Víctor Erice.
PRODUCCION:	Elías Querejeta P. C. (1973).
ARGUMENTO:	Víctor Erice.
GUION:	Angel Fernández-Santos y Víctor Erice.
FOTOGRAFIA:	Luis Cuadrado.
MUSICA:	Luis de Pablo.
MONTAJE:	Pablo del Amo.
JEFE DE PRODUCCION:	Primitivo Alvaro.
SONIDO:	Luis Rodríguez (sonido directo) y Eduardo Fernández (mezclas).
AYUDANTE DE DIRECCION:	José Luis Ruiz Marcos.
SEGUNDO OPERADOR:	Teo Escamilla.
AMBIENTADOR:	Jaime Chávarri.
SCRIPT:	Francisco J. Querejeta.
MAQUILLAJE:	Ramón de Diego.
2.º AYUDANTE DE DIRECCION:	Francisco Lucio.
AYUDANTE DE PRODUCCION:	Pablo Martínez.
FOQUISTA:	Santiago Zuazo.
AUXILIAR DE CAMARA:	José Manuel Nicolás.
FOTO-FIJA:	L. López Martínez.
AYUDANTES DE MONTAJE:	Pepe Salcedo y Juan Ignacio San Mateo.
AYUDANTE DE MAQUILLAJE:	Angel Luis de Diego.
JEFE DE ELECTRICOS:	Laureano López Martínez.
MAQUINISTA:	Antonio Fernández Santamaría.

ANA:	ANA TORRENT.
ISABEL:	ISABEL TELLERIA.
FERNANDO:	FERNANDO FERNAN GOMEZ.
TERESA:	TERESA GIMPERA.
DOÑA LUCIA, LA MAESTRA:	LALI SOLDEVILA.
MIGUEL, EL MEDICO:	MIGUEL PICAZO.
FRANKENSTEIN:	JOSE VILLASANTE.
FUGITIVO:	JUAN MARGALLO.
GUARDIA CIVIL:	ESTANIS GONZALEZ.
MILAGROS, LA CRIADA:	KETY DE LA CAMARA.
EMPRESARIO DEL CINE:	MANUEL DE AGUSTINA.
PROYECCIONISTA:	MIGUEL AGUADO.
FORMATO PANTALLA:	1 : 1,66.
NEGATIVO:	Eastmancolor, KODAK, 35 mm.
METRAJE:	2.811 metros.
CAMARA:	Arriflex 300, Blimp. 35 mm.
EFECTOS SONOROS:	Luis Castro-Syre.
SONORIZACION:	E X A
LABORATORIO:	MADRID FILM, S. A.
COMIENZO DE RODAJE:	12 febrero 1973.
FIN DE RODAJE:	22 marzo 1973.
LOCALIZACIONES:	Hoyuelos (Segovia), exteriores e interiores.
	Parla (Toledo), estación del ferrocarril.
	Cijara (Toledo), campo de colmenas.
VERSION INGLESA:	Javier Marías.
SUBTITULAJE EN FRANCES:	Madame Fleuri.
PRIMERA PROYECCION PUBLICA:	Festival Internacional del Cine de San Sebastián, 18 de septiembre de 1973.
ESTRENO EN ESPAÑA:	8 de octubre de 1973, cine Conde Duque, Madrid.

TITULOS PUBLICADOS

1. *Cría cuervos*, de Carlos Saura.

2. *La prima Angélica*, de Rafael Azcona y Carlos Saura.

TITULOS EN PREPARACION

4. *Pascual Duarte*. Basada en la novela de Camilo José Cela. Adaptada por Ricardo Franco, Emilio Martínez Lázaro y Elías Querejeta.

SE TERMINO DE IMPRIMIR
EN LOS TALLERES DE
GRAFICAS ROBLES
EN MADRID, EN EL MES DE
MARZO DE MCMLXXVI